OHSAMA
BUNKO

図解 新「儲け」のカラクリ

インタービジョン21［編］

三笠書房

はじめに――あの商売の「儲け」の裏が見えてくる!

1円2円の安さに釣られて入ったスーパーで、レジの前の棚にあった、たいして安くもないガムをついついカゴに入れてしまったことはないだろうか?

スーパーやデパート、コンビニの売り場では、お客の行動や心理を研究し抜き、フロアや棚の配置、ディスプレイなどによって購買意欲をかきたてる工夫が、随所に施されている。

小さな売り場で究極の利便性を追求するコンビニでは、レジとチェーン本部をつなぐPOSシステムによって、売れ筋・死に筋商品を徹底的にリアルタイムに分析。多くのお客が「ほしい」と思う商品だけを置くようにして商品の回転率をアップし、無駄な在庫を抱えるロスを抑えている。

すべては、お客にキモチよくお金を払ってもらい、「儲け」につなげるためである。

商売で儲けを増やすには、さまざまな方法がある。

原価を下げるのもそのひとつだ。たとえば、2万円、3万円があたりまえだったメガネを1万円以下で売って業界の常識を打ち破ったメガネチェーンは、フレームを中国の工場に大量発注し、韓国製のレンズを使うことによって価格破壊を可能にした。手頃な値段のメガネをシチュエーションに合わせて「着替える」というライフスタイルを提案することにも成功した。

インターネットの急速な普及も「儲け」の追い風になっている。オンラインショップは、店舗をかまえることで必要になるさまざまな固定費や人件費を削減できるうえ、24時間営業を可能にした。平日に閑古鳥の鳴いていた温泉旅館や、価格競争にあえいでいたビジネスホテルなどが、マージンの安いネット予約システムを導入して稼働率アップを実現しているケースも多い。

「儲け」をねらう企業努力は、お上の「規制」にも挑んできた。

ビールやウイスキーなどのお酒には、かなりの税金がかかっていることはご存知だろう。ビールにいたっては、値段の4割以上が酒税で占められている。そこでビールメーカーが知恵をしぼり、市場に送り出したのが「発泡酒」。麦芽の割合がビールよりわずかに少ないだけで税額が安くなる制度に目を付けたのだ。

かくして、外で飲むときにはビール、家庭の冷蔵庫に入っているのは発泡酒という風景があたりまえになった。

ところが、上には上がいるもので、急成長した発泡酒の売上に目をつけたお上は、発泡酒の酒税を引き上げるという挙に出た。お国の台所を預かるお役所も、「儲け」にはかくも敏感なのだ。

こうしてモノやサービスの「儲け」を探ると、ふだんは意識しなかった世の中のカラクリ、巧妙なしくみ、驚きの舞台裏が垣間見える。ある者は時流に乗って、またある者は逆風を克服して、多様化する消費者のニーズに応え、あるいは常識破りの発想で新しいニーズを作り出している。「儲け」をめぐる営みに、日本人の熱い「底力」を感じないではいられない。

秀逸なアイデアに感心するもよし、舞台裏でくり広げられる人間ドラマに感激するもよし。本書を読めば、これまで何気なくお金を払っていた、あのお店、あのサービスに対する見方がきっと変わることだろう。

もくじ

はじめに――あの商売の「儲け」の裏が見えてくる！　3

1章◆◆◆ヒット商品と値段のカラクリ
知ってトクする業界のウラ事情

ビール・発泡酒　低価格で大ヒット、発泡酒の酒税はビールの6割！　18
缶チューハイ　価格競争よりも、果汁の種類で女性をキャッチ　22
自動車　100万円を切るものも！　コンパクトカー各社の戦略は？　24
カーディーラー　1台売って、一体いくら儲かるの？　26
コンビニ　「死に筋商品」と「ロス」を減らす、最新POSシステム　28
マンション　土地代、施工費……、「原価」はどうなっている？　32

一戸建て　大手メーカーと職人の〝引き受け額〟は？　34
ホテル　「ネット予約サイト」で客もホテルもトクする理由　36
旅館　1泊2食つきで1室あたりの儲けは？　38
1000円散髪　1人10分、立地条件と回転率で高い収益率　40
便利屋　資格はいらないが信用第一、その仕事内容は？　42
キャバクラ　指名・追加オーダー・時間延長……、売上アップ＝給料アップ　44
商売の「裏」がわかるコラム①　新しいのに古い？　「新古車」とは　46

2章　「儲け」はどこで生み出すか
利益のモトを探すノウハウ

デパート　どのフロアで利益を出すか——その決め手は？　48
スーパーマーケット　お客の心理を読んだ、売り場の商品配列って？　50
ケーキ屋　「味＋α」で勝負して、その粗利は？　52

アイスクリーム店　これがなぜ「おいしい商売」になる？　54
お好み焼き屋　原価率30％以下、多彩な展開が可能に　56
韓国料理店（ビビンパ専門店）　ビビンパ、冷麺の原価ってどのくらい？　58
酒屋　スーパー・量販店相手に、どう生き残る？　60
自転車店　利益の中心は、新車販売よりも「修理代」　62
畳屋　畳1枚の原価、知っている？　64
質屋　利息はいくら？　鑑定眼はどう磨く？　66
住宅リフォーム　水まわりは利益率が高い、その理由　68
住宅防水工事　自分の家を守るためにかかる費用は？　70
解体工事　「分別解体」——さていくらかかる？　72
アパート経営　利益を生み出すカラクリはこうなっている！　74
コイン洗車場　200坪で、人件費をかけずに日銭を稼ぐ　76

立体駐車場　初期投資も安く、空き地活用に有利な条件ぞろい　78
中古ゴルフ用品販売　粗利率アップのカギは「直接買い取り」　80
洋服リフォーム　初期投資がかからず利益も出しやすい　82
商売の「裏」がわかるコラム②　最近注目の「FC支援ビジネス」とは？　84

3章　こんなに利益の出る商売があった！

原価率が低いからこんなに儲かる

インターネット広告　ネットビジネス、個人でどこまで儲かる？　86
ペット葬儀　たとえば、愛犬の葬儀にいくらかかる？　88
屋台　自由にならない営業場所、みんなどうやって確保している？　90
強制送還者フォロー　不法滞在者が買って帰る片道航空券のお値段は？　92
オンラインショップ　無店舗で月に数百万円を可能にするには……　94
エアコンクリーニング　月収100万円!?　粗利率の高いニュービジネス　96

観葉植物レンタル　単価は低いが、継続率の高さが強み　98

新聞勧誘員　月に100万円稼ぐ人も！　完全歩合制のプロ集団　100

場所探しビジネス　外まわりの仕事の片手間に小遣い稼ぎ！　102

秘書代行業　月1万5000円で電話応対を代行　104

人力車　1時間9000円でどこまで稼げる？　106

海外取材コーディネーター　1日2万～5万円、情報とコネがモノをいう！　108

運転代行　「すき間ビジネス」でどれだけ儲かる？　110

デイトレーダー　1円の株価変動で1万円の利益を出す　112

ヤミ金融　すぐにお金を貸してくれる怖い手口と、そのしくみ　114

商売の「裏」がわかるコラム③　コンビニの「直営店」と「オーナー店」の見分け方は？　116

4章　サービス業の儲けのしくみ

気持ちよくお金を落としてもらうために！

レンタカー　法人需要と個人需要——どちらが鍵？　118

スポーツクラブ　月会費９０００円で、その利益率は？　120

ゲームセンター　機種ごとの儲けを割り出す「ゲーセン版ＰＯＳ」　122

健康ランド　開業時の投資は10億円、それでも儲かるしくみは？　124

ハウスクリーニング　「プロの仕事」にいくら出せる？　126

宅配便　ドライバーの給与システムはどうなっている？　128

バイク便　歩合制・時給制……、ライダーたちの使い分けがカギ　130

人材派遣　派遣料金は今どうなっている？　132

介護サービス　5兆円を超える市場で、どう利益を出していくか　134

派遣英語教師　報酬は時給制、年収アップの秘策は？　136

デリヘル　「姫」の取り分は料金の半分前後　138

社交ダンス教師　本人のランクと実績で、レッスン料に大きな開きが！　140

雀荘　「フリー」に参加して負けたら、従業員の自己負担　142
商売の「裏」がわかるコラム④　新車は「人気色」、中古車は「不人気色」がお買い得？　144

5章 身近な商品、その原価の謎

こんなところに意外なお金が……

メガネ　「3プライス制」の登場！　原価はいったいいくら？　146
コンタクトレンズ　薄利多売の使い捨てレンズは「診療報酬」で稼ぐ　148
音楽CD　作詞家・作曲家・歌手の「印税」はどうなっている？　150
ミネラルウォーター　ガソリンより高い、日本のミネラルウォーター　152
卵　40年前と値段が変わらない秘密は？　154
トイレットペーパー　再生紙vsバージンパルプ——どちらがより低価格？　156
紙おむつ　市場規模2700億円、今後の主役は「大人用」　158
レンズ付きフィルム　回収率70％！　究極のリサイクル製品　160

冷凍食品　安売り競争で利益率低下が業界の悩み　162
便器　新規設置よりもトイレのリフォームで売上アップを　164
ペットフード　原価率は20％？　安全基準もないのが現状　166
商売の「裏」がわかるコラム⑤　低価格化の流れに乗れず苦戦する「地ビール」　168

6章　知っているようで知らない？　料金のカラクリ
その値段になるにはワケがある！

新聞　広告料金、いったいいくら？——読売・朝日・毎日・日経　170
雑誌　広告料金、やはり女性誌が高い？　172
テレビ　広告収入はどれくらい？——番組制作費の天国と地獄　174
ラジオ　ラジオ広告ならではの特徴と料金は？　176
映画　映画館・配給会社・監督・出演者……、収入の配分は？　178
鉄道　日本の鉄道運賃は高い？　安い？　そして利益は？　180

路線バス　初乗り200円では儲けが出ない？　182
建築設計事務所　設計図面を1枚描くと、いくらになる？　184
クレジットカード　カード会社にとっては「リボ払い」がおトク　186
建築　「下請け」から今度は「上請け」へ――変わらぬマージン体質　188
自費出版　経費は全部著者持ち、低リスクのおいしいやり方　190
健康保険　私たちの医療費、その支払いのしくみは？　192
商売の「裏」がわかるコラム⑥　旅館に泊まるときチップは必要？　194

7章◆◆◆ ちょっと気になる〝あの商売〟
いったいどこまで稼げるの？

作家　ベストセラー、さて印税はいくら入る？　196
漫画家　原稿料と印税収入、漫画家さんの悩みの種は？　198
脚本家　ドラマのシナリオ、1本書いていくらもらえる？　200

イラストレーター　イラスト1点あたりのギャラはいくら？　202
カメラマン　新機材や車の出費が、フリーランスには痛いところ　204
通訳　観光ガイドから警察の取り調べまで、いくらになる？　206
翻訳者　専業で稼ぐなら月に4万ワードが目安　208
プロレス　あたればデカいがリスクも大きい「売り興行」　210
プロ野球　平均年棒3800万円、一生で見ると高い？　安い？　212
騎手　厩舎所属で月給制か、フリーででっかく勝負か　214
プロ棋士（将棋）　数ある棋戦のなかでも「順位戦」が収入に大きく影響　216
女優・モデル　売れっ子、売れない人、その拘束時間とギャラは？　218
ミュージシャン　スタジオ・ミュージシャン、バックバンド、その稼ぎの実態は？　220
ホームヘルパー　需要はますます高まるが、この賃金ではキツイ！　222
弁護士　裁判に勝っても負けても、これだけの収入がある！　224

開業医　医者余りの時代でも、平均年収3000万円！　226

助産師　病院勤め・独立開業・出張専門……、収入はどう変わる？　228

ニットデザイナー　人数が少ないぶん、認められれば高収入も！　230

ホームページ制作　制作費のほかに管理費も！　ピンキリのこの値段　232

保険外交員　年収数千万円の人も！　ノルマ達成のためにどこまでやるの？　234

※本書の本文および図版は、2004年4月における現況、またはその時点で入手可能な（できるかぎり最新の）統計資料にもとづいて執筆・作成しています。

1章

ヒット商品と値段のカラクリ

知ってトクする業界のウラ事情

◆ビール・発泡酒

低価格で大ヒット、発泡酒の酒税はビールの6割！

　１９９０年代初頭まで、ビールは定価販売があたりまえだったが、規制緩和により激安の輸入ビールが上陸し、業界は低価格競争に突入した。しかし、国産ビールを値下げするには、高い酒税が足かせとなる。そこで、麦芽の使用率により税率が変わる点に目をつけ、**発泡酒**を開発したというわけだ。

　登場したての頃は、「ビールのまがいもの」「やはり味が落ちる」などと評判はイマイチだった。その後、市場の拡大とともに各メーカーも改良を重ね、品質は格段に向上した。今では、**消費量でビールと肩を並べかけるまでに成長**しつつある。

　主要メーカーが続々と発泡酒市場に参入し、「味」が一定レベルに達したあとは、５円、10円の差をめぐる熾烈《しれつ》な戦いがくり広げられている。３５０ミリリットル缶１８０円でデビューした発泡酒の標準価格は、今では**１４５円**にまで下がり、店によってはケース売りで１缶あたり１００円を切るところもある。ジュースより安い計算だ。消費者にはありがたいが、メーカー側の利益は相当に薄くなっている。

「ビール→発泡酒」の流れは止まらない?

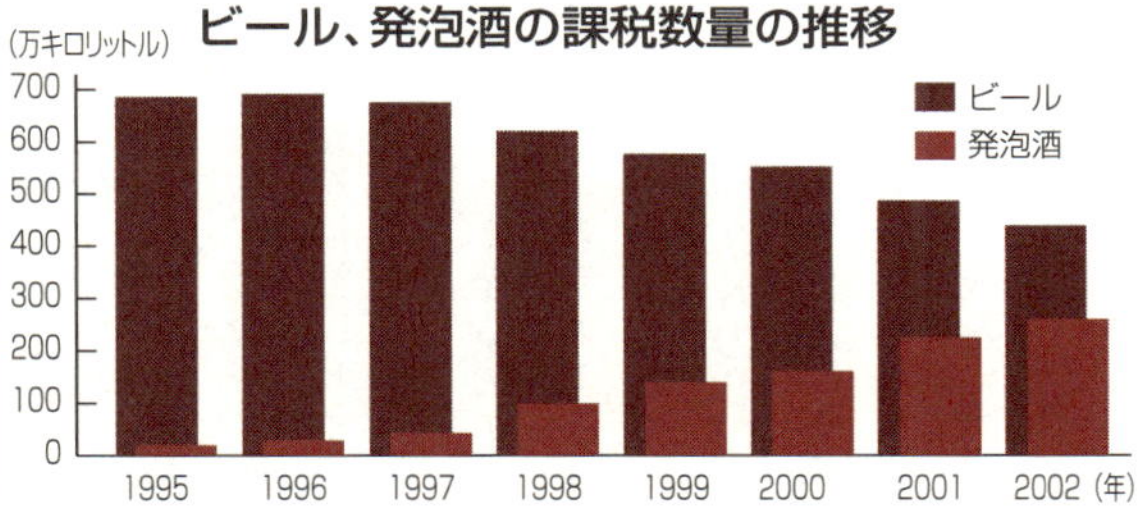

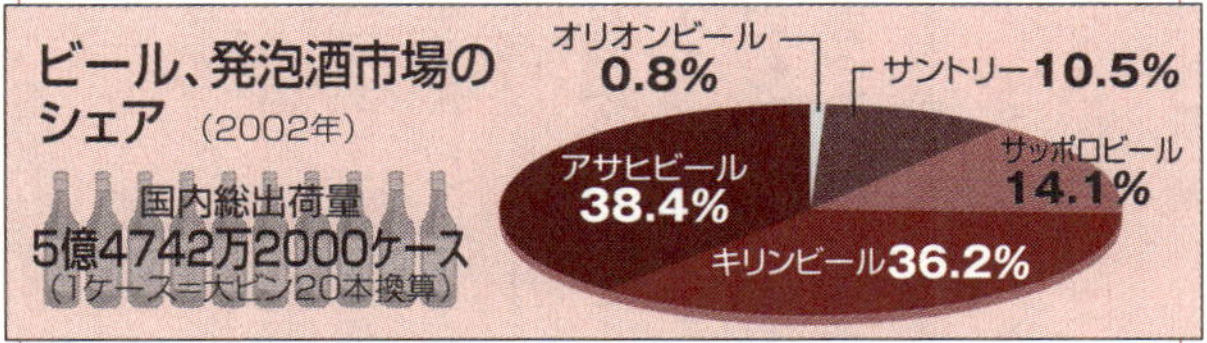

発泡酒をめぐる価格戦争

1994年10月	サントリーが発泡酒第1号の「ホップス　生」(麦芽比率65%未満、180円)を発売
1995年4月	サッポロビールが「ドラフティー」(麦芽比率25%未満、160円)で参入
1996年5月	発泡酒の税率引き上げに対抗し、サントリーが麦芽比率を減らした「スーパーホップス」を発売
1996年6月	サッポロビールが「ドラフティー」を145円に値下げ。以後、各社横並びの145円体制が続く
1998年2月	キリンビールが「麒麟淡麗<生>」で参入
2001年2月	アサヒビールが「本生」で参入、ビール大手4社の商品が出そろう
2002年2月	キリンビールが業界初の135円発泡酒「極生」を発売。各社が期間限定値下げで追随
2002年6月	期間限定の値下げを通年価格として見直す動きが広がる
2003年5月	発泡酒増税に伴い各社が10円値上げ、再び145円時代に

(文中の価格は350ミリリットル缶のもの)

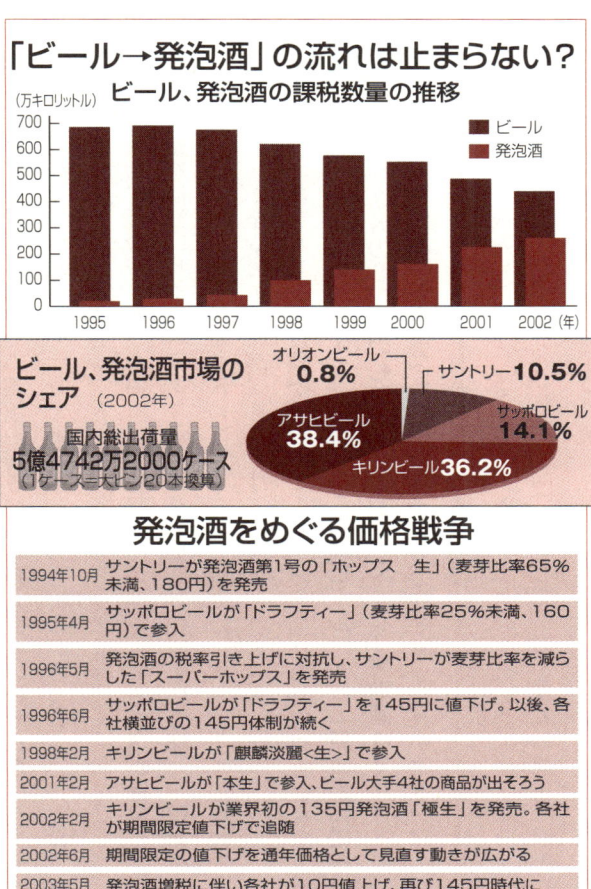

海外旅行に出かけて、現地での酒類の安さに驚いた人は多いのではないだろうか。「日本とは物価水準が違うから」などと単純に納得してはいけない。この差は、日本の**「酒税」**によるところが大きい。

酒類にはすべて税金がかかっている。国税収入の4%を占める大事な財源だ。酒税法では、酒類を清酒、ビール、ウイスキー、果実酒など10種類に大別し、種類やアルコール度数によって税率を細かく決めている。諸外国では、アルコールの度数が高い酒ほど税率も高くなる例が多いが、日本ではこのあたりがあいまいだ。

酒類のなかではアルコール度数が低めのビールだが、価格の40%以上が税金。欧米諸国と比べてかなり高めの設定だ。酒税法では、**「ビール」とは「原料全体に占める麦芽の使用量が3分の2以上のもの」**と定義されている。**発泡酒はそれ以下の「雑酒」**に属し、**麦芽使用25%未満なら、税額はビールの約6割。**これが安さの理由だ。

税率の低い発泡酒へのシフトが進むと、当然、税収は落ちていく。そこで政府は、発泡酒にもビール並みの課税をしようともくろんでいる。これに対してメーカー側は、「発泡酒はビールとは別個に開発された商品」だとして、ビール並み課税の導入に強く反対している。

日本のビールの主成分は「税金」!

ビールの価格と酒税の国際比較

（大ビン1本あたり換算）

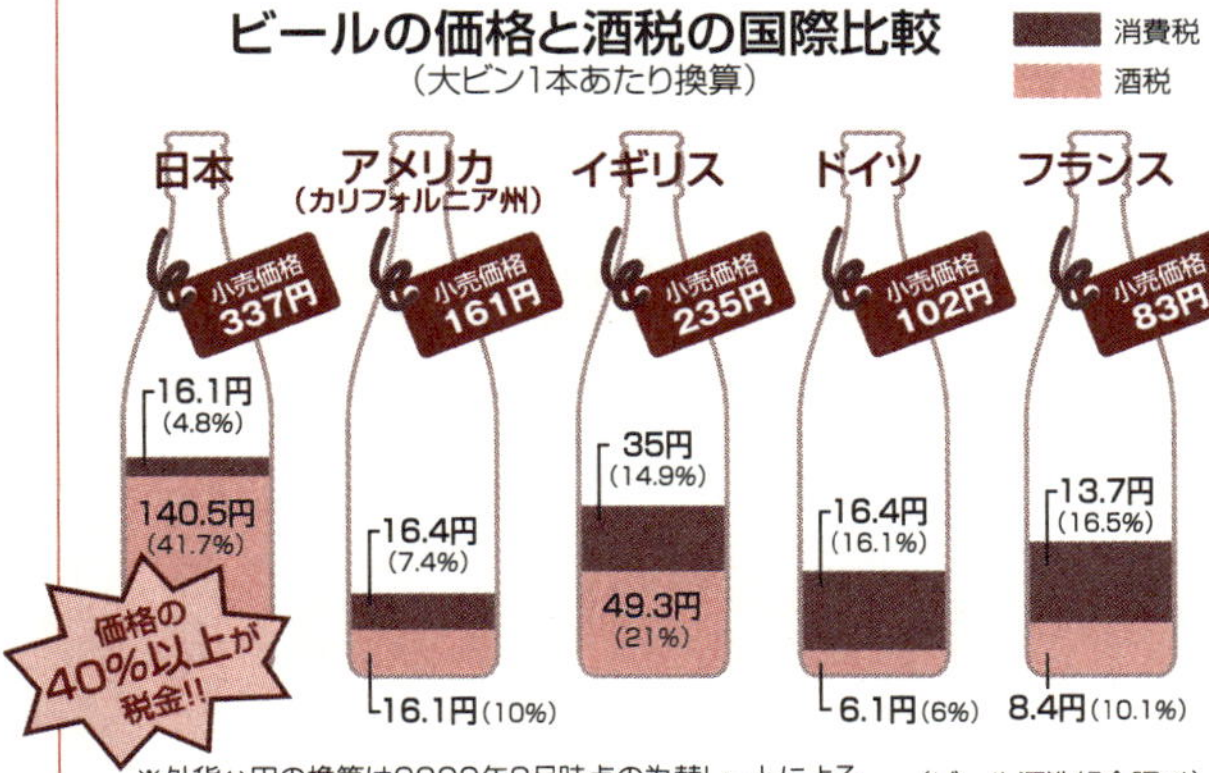

※外貨⇔円の換算は2000年8月時点の為替レートによる
※アメリカは州ごとに税率が異なる

（ビール酒造組合調べ）

酒類別の酒税税率

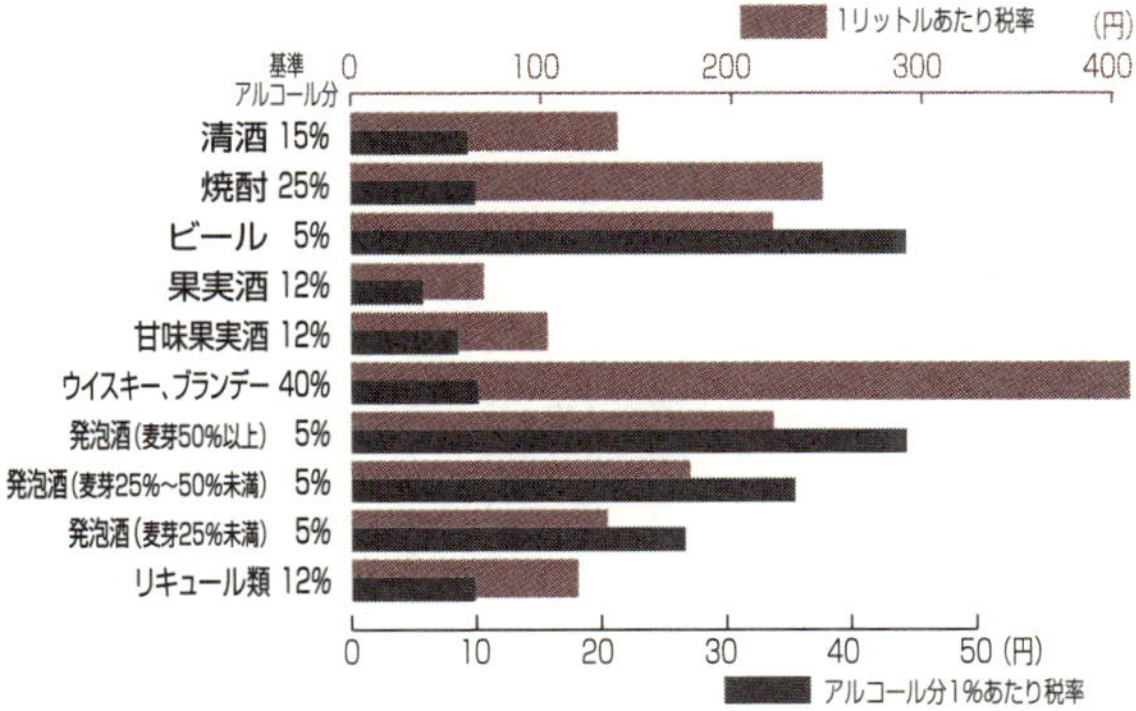

◆缶チューハイ

価格競争よりも、果汁の種類で女性をキャッチ

発泡酒をめぐる競争は、すでに飽和状態にあるビール市場でのパイの奪い合いともいえ、市場全体の急拡大は期待しにくい。そんななか、業界のジリ貧感を払拭するジャンルとして期待されているのが缶チューハイだ。酒類全体に占める割合はまだまだ小さいが、**若者や女性など低アルコール志向の消費者層を新規開拓できる点が大きい**。

現在、缶チューハイの値段は、１缶３５０ミリリットルが**１４０円前後**と、ほぼ発泡酒並みとなっている。酒税法上、**缶チューハイはリキュール類に分類され、ビールより税率が低いため**、この価格が実現している。カクテル感覚で味にバリエーションをつけやすく、とくに、果汁を加えたタイプは、若い女性を中心に大ヒットしている。

今後は、発泡酒のように低価格競争に走るのではなく、各社とも個性的な新商品の開発で消費者をつかもうとしている。消費者ニーズの多様化に対応して、大手ビール会社は総合酒類メーカーへと転換しつつあり、近い将来、酒類業界全体の産業構造が大きく変貌する可能性も高い。

伸び続ける低アルコール飲料市場

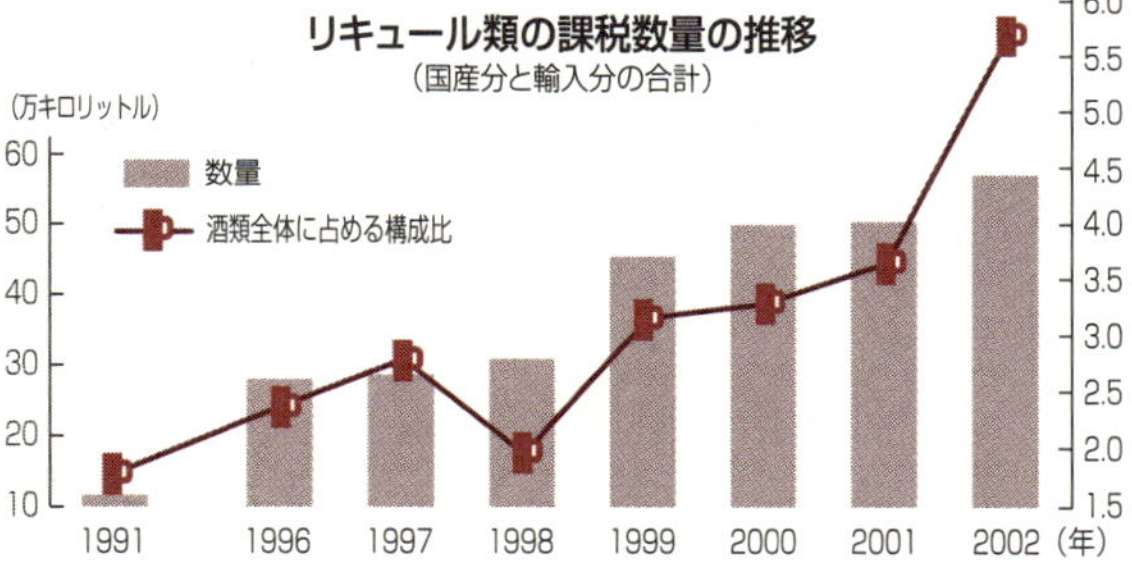

（国税庁発表資料）

勝ち残るのはどれ？ 各社が個性を競う缶チューハイ市場

キリン

しぼったあと加熱せずに凍らせた「クリアストレート果汁」を用いた「氷結」で2001年に市場参入、後発組ながらトップブランドに成長

サントリー

1999年に発売開始の「スーパーチューハイ」が定番ブランド。2004年には、甘さを抑えて飲みごたえを追求した「淡麗」シリーズを投入。ほかに、カロリー50%オフの「カロリ。」、2種類の果実と原料酒をブレンドした「ダブル搾り」なども展開

宝酒造

1984年に「タカラcanチューハイ（レギュラー）」を発売、ロングセラーとして定着。「甘さひかえめ・後味スッキリ」をコンセプトとして2003年に投入した「スキッシュ」シリーズは、レギュラーを上まわるヒットに

アサヒビール

果汁分が高め（10〜30%）の「旬果搾り」、ロングセラー「ハイリキ」の販売権を2002年に旭化成から引き継ぐ

メルシャン

糖類・香料・着色料不使用の「本搾り」と、果実繊維入りなどバラエティに富むラインアップの「グビッ酎」が2本柱

合同酒精

「ハイボーイ」がメインブランド。有機果汁を使用した製品や、凍結粉砕製法と氷温果汁を組み合わせた「フリーズ」シリーズなども展開

◆自動車

100万円を切るものも！　コンパクトカー各社の戦略は？

クルマを「道具」と割り切るなら、丈夫で長持ちすれば十分のはずだが、やはり見た目にもこだわるのが現代人。低価格でオシャレ、しかも機能充実、そんなわがままな要望に応えた**コンパクトカー市場**が活況を呈している。

車名別の販売台数ランキングでも、上位にコンパクトカーがずらりと並んでいる。２００１年まで33年間もトップをキープし続けてきたトヨタの**「カローラ」**が、ついに02年、その座をホンダの**「フィット」**に明け渡した。03年には再び首位に返り咲いたが、その後もデッドヒートをくり広げている。

コンパクトカーの価格は、１３００ccクラスでだいたい**120万円**台から。１０００ccなら**100万円**を切るものもある。コストパフォーマンスの高いモデルがひしめくこの激戦区で生き残るには、生産工程の徹底した効率化が不可欠だ。複数のブランドで共有できるプラットフォーム（車台）を開発したり、海外の提携メーカーと共同で部品や資材を大量一括購入するなど、各社とも懸命の努力を重ねている。

車名別・新車販売ランキング

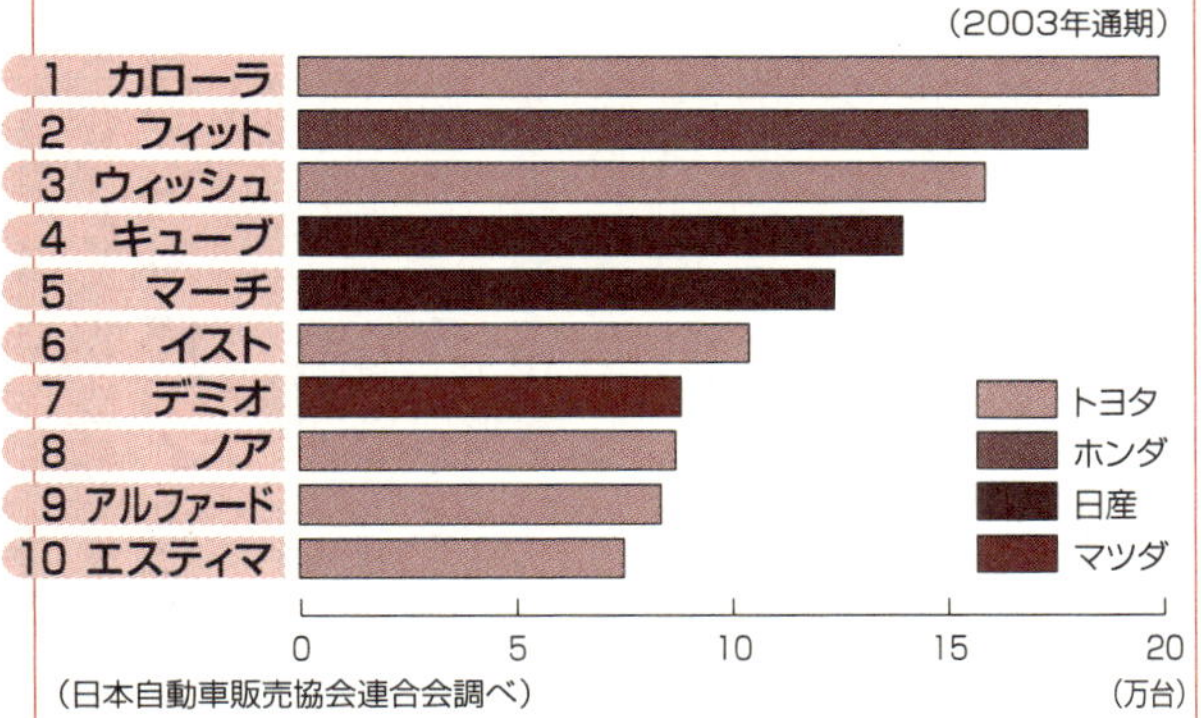

新車販売台数（2003年）

乗用車（普通・小型）	316万8195台
軽自動車（貨物車を除く）	129万1824台

各メーカーがヒット商品連発で競争激化のコンパクトカー市場

1999年1月	トヨタが「スターレット」の後継モデルとして「ヴィッツ」を発売、コンパクトカーの人気ナンバー1に
2001年6月	ホンダが「フィット」を発売、「ヴィッツ」より安い価格設定でヴィッツを上まわるヒットに。ヴィッツもマイナーチェンジによる値下げで対抗
2002年3月	日産が新型「マーチ」を発売、個性的な外観と100万円を切る低価格（1000cc車）で大ヒット
2002年5月	トヨタが「イスト」を発売。ホンダは「フィット」の上級グレードを発売して対抗
2002年11月	三菱自動車が「コルト」を発売

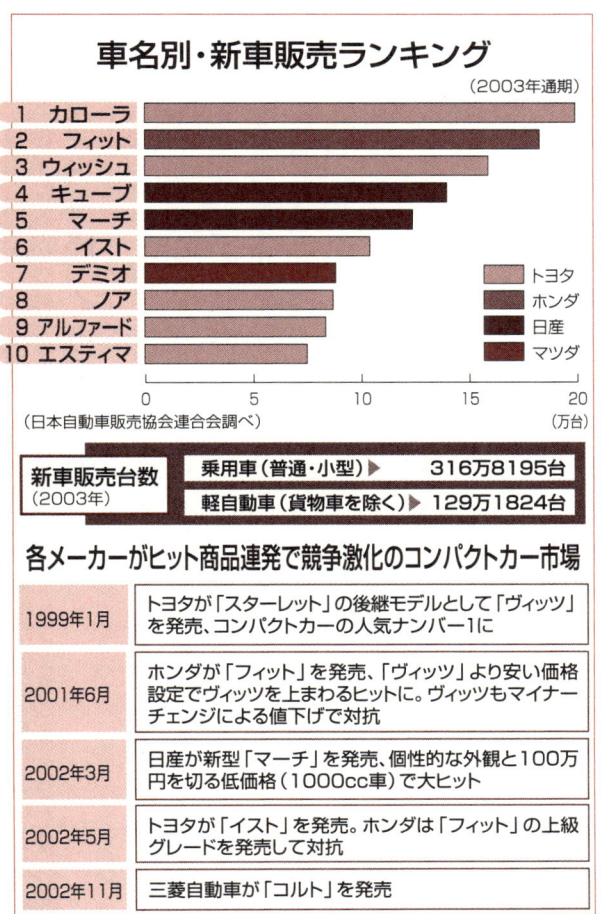

◆カーディーラー

1台売って、一体いくら儲かるの?

大衆車のユーザーというのは意外と保守的で、いったん愛用車を決めると、よそのメーカーやブランドにはあまり目移りしないといわれてきた。大幅な値引きをしてでもシェアを確保すれば、その後は定期的な買い替え需要が見込めるというわけだ。そこで、**シェア拡大至上主義**が長らく叫ばれ、**値引き販売が常態化**してきた。

新車を1台売ってディーラー側が得る粗利は、価格の3割程度。値引きすればこの半分程度になることもある。新車販売のほかに、下取り車の中古販売、車検・整備修理なども含めた全体の粗利は15~20%程度。人件費や家賃などの経費を考えれば、これでは儲けがほとんど出ないか、ヘタをすると赤字である。

その赤字分を埋めてくれるのが、メーカーから出る**「販売報奨金」**だ。販売台数が一定数を超えると、急カーブを描いて金額が急騰する。そのため、ときには、**タダでもいいからあと1台売れば、販売報奨金が入るので儲けが増える**などという状況も生じる。このシステムが、値引きを常態化させる要因になっているともいえる。

ディーラーと報奨金のアヤシイ関係

（国産車ディーラーの例）

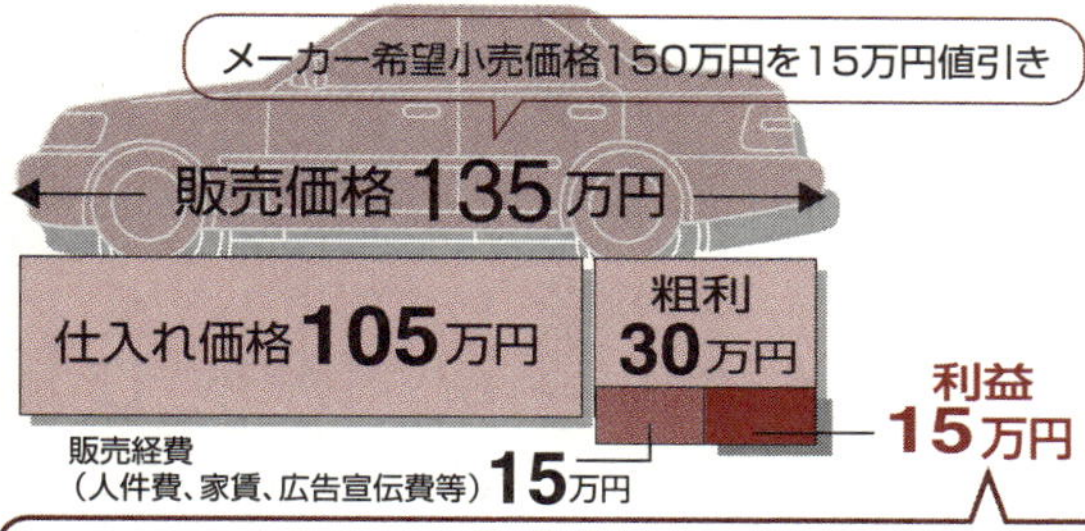

- 値引きによる利益減は、メーカーからの**販売奨励金**（例：50台売るごとに仕入れ価格の5％をバック）やローン手数料、保険手数料等でカバー
- 下取り車の**中古販売**、新車購入後の**アフターサービス**（車検・修理等）などは比較的利益率が大きい
- 最近は、最初から価格を低めに設定する代わりに値引きをしない**「ワンプライス販売」**方式も増えている

値引き交渉のわずらわしさがなくなり、販売価格についての不透明感は減るが、従来のやり方で買うより安くなるとはかぎらない

新車をお得にゲットするための、あの手この手

- 発売開始からある程度期間が経って人気が一段落した車種をねらう
- 決算期の3月、9月中に登録できるよう契約する

販売実績を少しでも上積みしたい時期なので、値引き率も高めになりやすい

- ライバル社のディーラーの存在をちらつかせ、どちらにするか迷っているフリをする
- （色にとくにこだわりがないのであれば）買い替え時の下取り査定に有利な人気色を選んでおく

- 一般的にはシルバー、パール、ホワイトなど
- 人気色と不人気色では下取り価格に数十万円の差が出ることも

◆コンビニ

「死に筋商品」と「ロス」を減らす、最新POSシステム

弁当から洗剤まで、日常生活に必要なものならひと通りそろっているコンビニ。扱う商品はおよそ３０００アイテムにのぼる。売場面積のわりにアイテム数が多いため、回転率のよい「売れ筋商品」を厳選して並べることが、とくに重要となる。

売れない商品、いわゆる**「死に筋商品」をいつまでも置いておくのは、貴重なスペースのムダ使い。**全体の回転率を上げるためには、少々のロスは必要経費と割り切って商品を入れ替える潔さも必要である。

経営者がもっとも頭を悩ませるのは、毎日の弁当・パン類の仕入れだろう。季節や天候によって売れ行きが変わってくる。これらは生ものなので、一定期間が過ぎた商品は破棄しなくてはならず、お客のニーズを見誤ると店側の負担は大きくなる。

そうはいっても、弁当類の売上はコンビニの生命線。昼どきなのに早々に売れ切れるような**販売機会損失は、なんとしても避けたい。**そこそこ売れ残るくらいがちょうどいいのだが、そのあたりの兼ね合いがむずかしいという。

コンビニの利益を大きく左右する「発注作業」

（一例）

発注

- 1日2回（10時と15時など）が一般的
- 弁当などの日配品は、いかにロス（廃棄）を少なく、かつ品切れが生じないように発注するかが腕の見せどころ
- 過去の売上データのほか、周辺地域のイベント情報、天気予報なども重要な判断材料
- 雑誌については取次会社が配本数を決めるのが一般的

↓

納品

- 商品の種類別、温度別に配達
- 配達時刻は5分きざみで細かく決められ、指定時刻のプラスマイナス30分以内に納品されなかった場合はドライバーにペナルティが科せられることも

商品の納品間隔は？

弁当、総菜、パン、牛乳等 → 1日3回
雑誌、アイスクリーム、冷凍食品等 → 1日1回
菓子類、加工食品、日用雑貨等 → 2日に1回

早く消える商品、長く売る商品

- 新商品は**発売開始後2～3週間が売上のピーク。**回転率が悪ければ1カ月で店頭から姿を消すことも
- おでんや肉まんといった季節ものの商品を**あえてシーズン前の早い時期に販売開始する**と、開始当初はロスが多くなるが、「あの店ではおでん（肉まん）を売っている」と、商品の存在をお客の意識の片隅に刷り込むことができ、**シーズン中の売上がアップする**

食品以外の商品も、流通コストや原価を下げるために買い取りがメインで、雑誌などの**一部の商品を除き返品は不可**。売れ残ったら経営者が自腹を切ることになる。

売れ筋・死に筋を見きわめる際の強力な助っ人となるのが、**ＰＯＳシステム**だ。ＰＯＳはレジと連動しているので、販売状況をリアルタイムで把握できる。自分の店だけでなく、チェーン全体の売れ行き動向もわかるので、先々の予想もつけやすい。

ＰＯＳに蓄積されたデータを分析すると、売り場のなかでとくに商品の回転率がよい場所を見つけ出すこともできる。同じ商品でもそこに移すだけで売上が伸びるという、いわば**「売り場の一等地」**だ。

店のレイアウトは各店舗ごとに異なるので、一概にどの場所とは特定できないが、そういった自分の店の特性をきちんと把握できていれば、もっとも効率のよい商品配置を導き出すための大きなヒントにもなる。

ＰＯＳは売上の分析だけでなく、毎日の商品発注業務でも活躍している。発注担当者は、過去の売上データ、周囲のイベント情報、天気予報など、さまざまな要素を考え合わせて、「よし、明日は○○弁当を5個増やしてみよう」などと、発注〆切時間ぎりぎりまで頭を悩ますというわけだ。

売れ残った商品はどうなる？

弁当などの食品類

直営店▶廃棄処分が基本
オーナー店▶アルバイト店員などが持ち帰るケースも多い

直営店とオーナー店の見分け方は？

・店長がいつもネクタイ姿
・店員が（過剰なくらい）元気よくあいさつ
・店内の掃除が行き届き、いつもピカピカ

こういう店は直営店である可能性大

日持ちのする商品（菓子、雑貨など）

新商品との入れ替えに合わせて見切り品として安売り処分

雑誌、新聞

返品可

一部の返品可能の商品を除き、売れ残りは**経営者が負担**

コンビニチェーン別・年間売上ランキング

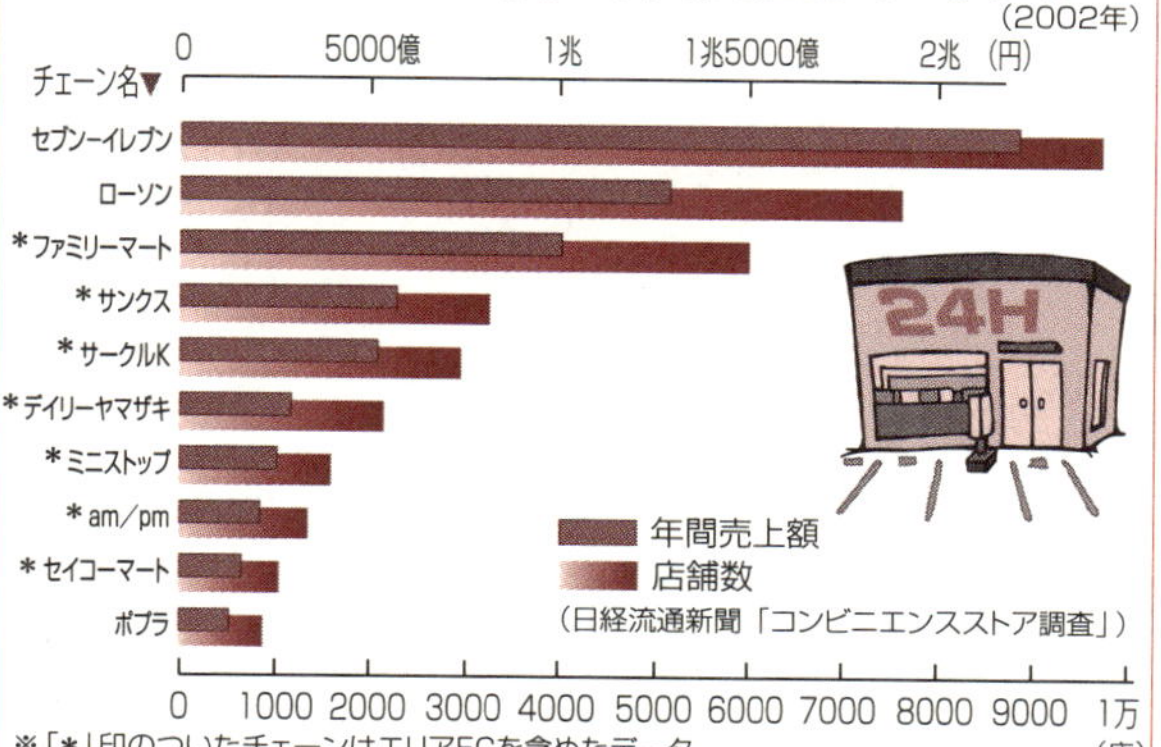

（日経流通新聞「コンビニエンスストア調査」）

※「*」印のついたチェーンはエリアFCを含めたデータ

◆マンション

土地代、施工費……、「原価」はどうなっている？

バブル最盛期には、東京近辺の新築マンションの平均価格は6000万円を超えていたが、現在では4000万円を切るまでになった。なぜこれほど値を下げたのか。

マンションの「原価」に相当するのが、土地代と施工費。バブル崩壊以降、地価が下落したうえ、建設不況で台所事情が苦しくなったゼネコンも、受注増を図るために工事費を下げざるを得なくなってきた。こうした事情で原価は年々下がり続け、販売価格にも反映されるようになった。

安くなったとはいえ、やはり一生で最大の買い物であることには変わりなく、不良物件を高い値段でつかまされないよう、十分に注意したい。「即決しないとすぐに売れてしまう」などと、販売業者が契約をせかすケースは要注意といえる。優良物件なら、強引な営業をしたり、何度も広告を打ったりする必要はないはずだ。

ちなみに、1期、2期と分割して販売されるマンションの場合は、好条件の部屋ほど、あとになって販売されるケースが少なくないことも頭に入れておきたい。

新築マンションの値段の内訳は？

RC（鉄筋コンクリート）造　坪あたり約40万～50万円
SRC（鉄筋鉄骨コンクリート）造　坪あたり約50万～60万円

合計販売価格 ＝ 土地代＋施工費＋販売費＋利益

原価（全体の約65～75%）……土地代＋施工費

広告宣伝費、人件費など……販売費

東京圏のマンション価格の年収倍率の推移

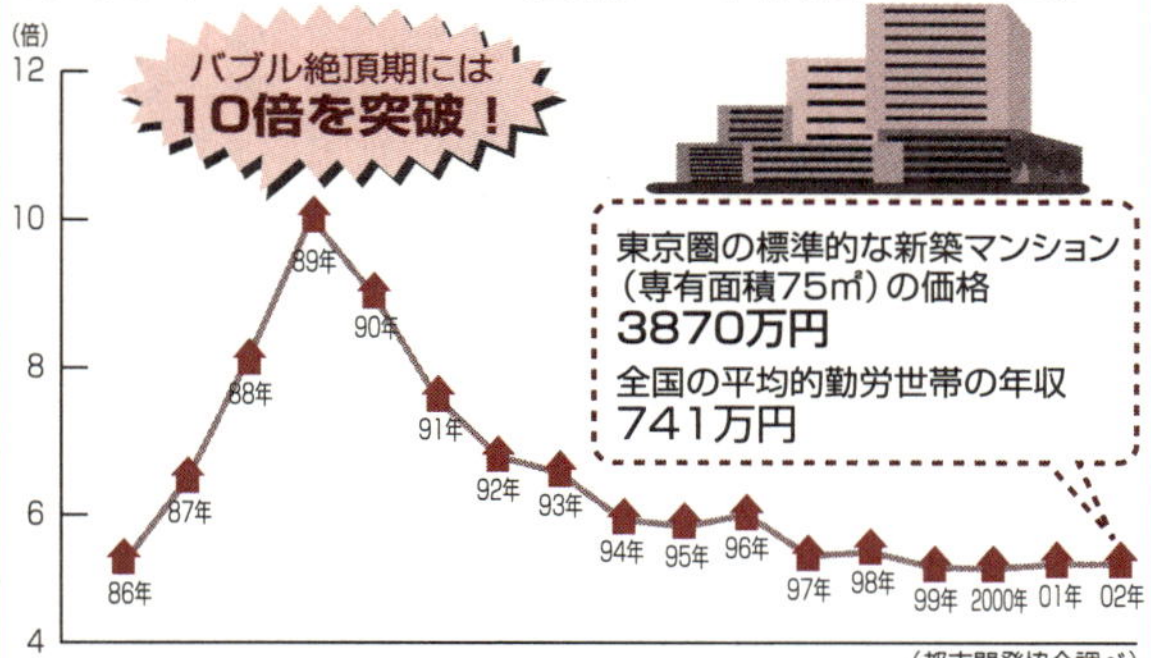

（都市開発協会調べ）

マンション購入時のチェックポイント

新築

- ✔ 完成前の物件を買う場合は、図面を念入りにチェック
  → 疑問点を洗い出し、販売業者に確認
- ✔ モデルルームがある場合は、実際に自分の目で確かめる
  → 遮音性、配水管の状態など、
  図面だけではわかりにくい部分を忘れずにチェック

中古

- ✔ 室内のリフォームがどの程度行なわれているか
- ✔ 外壁にクラック（ひび割れ）が入っていないか
- ✔ ライフラインや共用部分のメンテナンスがきちんとされているか
- ✔ 長期修繕計画の内容と実施状況はどうなっているか

◆一戸建て

大手メーカーと職人の〝引き受け額〟は？

土地が安くなった今、やはり「庭付き一戸建て」の夢は捨てがたい。しかし、「欠陥住宅」の問題も気になる。新築家屋の床が傾斜したり、水漏れしたり、壁に亀裂が走ったり……。プロの仕事のはずなのに、なぜこんなことが起きてしまうのだろう。

いちばんの原因は、高度成長期以降の日本の建築業界に根付く、**元請け・下請け・孫請けという多重構造**にある。お客と契約した住宅会社は施工や工事を行なわず、下請けや孫請けの業者へ仕事をまわす。その際、**各段階で中間マージンが発生**するので、実際に作業をする業者が得る代金は、かなり安くなってしまう。

そこで最下端の業者は、材料の質を落としたり、手間賃の安い職人を雇ったり、一部の工程を省くなどして、予算を切り詰めにかかる。このシステムでは、現場で働く職人には施主の顔が見えにくく、手抜き工事をしても罪悪感を感じにくい。

こうした事情も影響してか、最近では、工場規格の精密な建材を使用し、現場では組み立てるだけ、という工法が人気となっている。

住宅建築の下請け構造の例

	引き受け額	
大手メーカー：受注	販売価格の100%	
特約店（地元の比較的大きな工務店など）：1次下請け	販売価格の約70%	約30%
小規模な工務店：2次下請け	販売価格の約55%	約15%
職人	販売価格の約40%	約15%

差額（マージン）

引き受け額が安くなる
↓
予算の切り詰めを図る
・材料や職人の質を落とす
・工程の一部を省く等
↓
欠陥住宅の可能性も

欠陥住宅をつかまないための対策例

注文住宅の場合

・監理を別の建築士に依頼する（約1割の監理料がかかる）
・各工程の現場写真を撮る
・施主自身がこまめに現場に足を運ぶ
・工期に余裕を持たせる

建売住宅の場合

・確認通知書、検査済証の提示を求め、その内容と実際の建物を照合する（違法建築でないかどうかなど）
・家の各部分をチェックする（戸の開閉具合、床のきしみや床下の排水管などからの水漏れの有無、壁や接合部の仕上げ具合、換気口の状況など）
・調査会社や建築士に欠陥診断を依頼する（簡易調査→本調査）

◆ホテル

「ネット予約サイト」で客もホテルもトクする理由

ここ数年、景気低迷がいわれ続けたなか、ホテルの客室数は年々増加傾向にあるという。経営不振で廃業するホテルが多い一方で、新規開業が活発なのだ。とくに東京都心部では、再開発地区などに外資系ホテルが相次いで開業している。

こうして、宿泊客の獲得競争がますます激しさを増すなか、業界が注目しているのが、インターネット上で宿泊の予約ができる「ネット予約サイト」である。

登録されたホテルの空室状況や料金、客室の写真など、さまざまな情報を素早く検索でき、複数のホテルを比較しながら、24時間いつでも予約できる。

ホテル側にとっても、ネット予約だと、**旅行代理店経由でお客を取るよりマージンが安い**というメリットがあり、そのぶん、室料を割り引くこともできる。

お客とホテル、双方のメリットが評価され、登録ホテル数は急増。ペンションやシティーホテル、高級ホテルまでネット予約できるようになった。予約サイト同士のサービス競争もさらに激しくなりそうだ。

「予約はインターネットで」が今後の主流？

ホテル側のメリット、デメリット

- 継続的かつ大量に買ってくれる
- 2週間くらい前になって、代理店側の都合により予約がまとめてキャンセルされるケースも多い

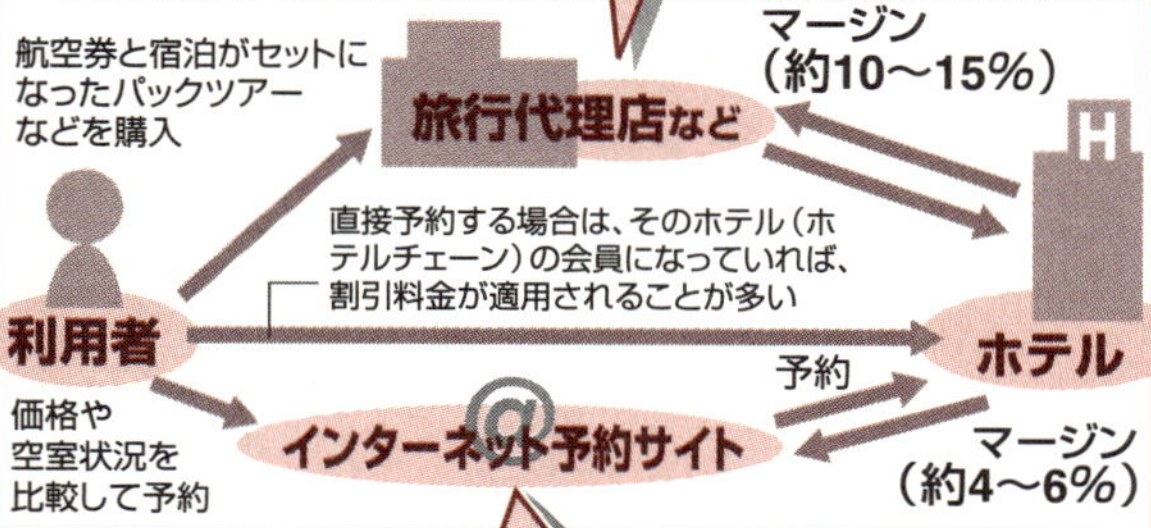

利用者側のメリット

- 普通に予約するより料金が安い場合が多い
- 24時間いつでも予約できる
- （遠方のホテルの場合）予約の電話代を節約できる
- 各ホテルの料金や設備をその場で比較できる

ホテル側のメリット　サイトの運営会社に支払うマージンが安い

代表的なホテル予約サイト

旅の窓口	http://www.mytrip.net/
Yahoo! トラベル	http://travel.yahoo.co.jp/
イサイズ じゃらん	http://www.jalan.net/
楽天トラベル	http://travel.rakuten.co.jp/
一休ドットコム	http://www.ikyu.com/

ホテル、旅館の施設数・客室数（2002年）

（厚生労働省「衛生行政業務報告」）

	ホテル	旅館
施設数(a)	8518	6万1583
客室数(b)	64万9225	91万5464
b/a	76.2	14.9

- 洋室志向により旅館は減少傾向
- 低価格をウリにする宿泊特化型ホテル、都市型レジャー目的の客層をカバーする高級シティホテルなど、業態分化が進行

◆旅館

1泊2食つきで1室あたりの儲けは?

旅館の多くは、「2名1室」が最小単位。その理由として、「1人客には自殺願望がある人もいるから」などという説もあるが、旅館が1人客を歓迎しないのは、単に「儲けが少ない」からにほかならない。

旅館の料金は、主に客室代と食事代で成り立つが、利益率を上げるには、1部屋になるべく多くのお客を泊めて、**客室あたりの単価を上げる**のが手っ取り早い。とくに、大型連休や観光シーズンなど、満室になることが予測できる時期には、1人客はもちろん2人客さえも断り、より儲かる**グループ客だけを泊めたいのが本音**だろう。

しかし、もはや旅館がお客を選り好みできるような時代ではなくなった。客室単価を上げることより、まずは空室を減らすことのほうが先決だ。また、少人数で訪れるお客は、学生や女性、熟年夫婦など、比較的、時間を自由に使える層が多く、リピーターになってもらえば閑散期の平日利用も期待できる。

旅館業界も、古い体質や常識から脱却しなくてはならないときが来たようだ。

旅館の収支例（客室10室の個人経営の温泉旅館の例）

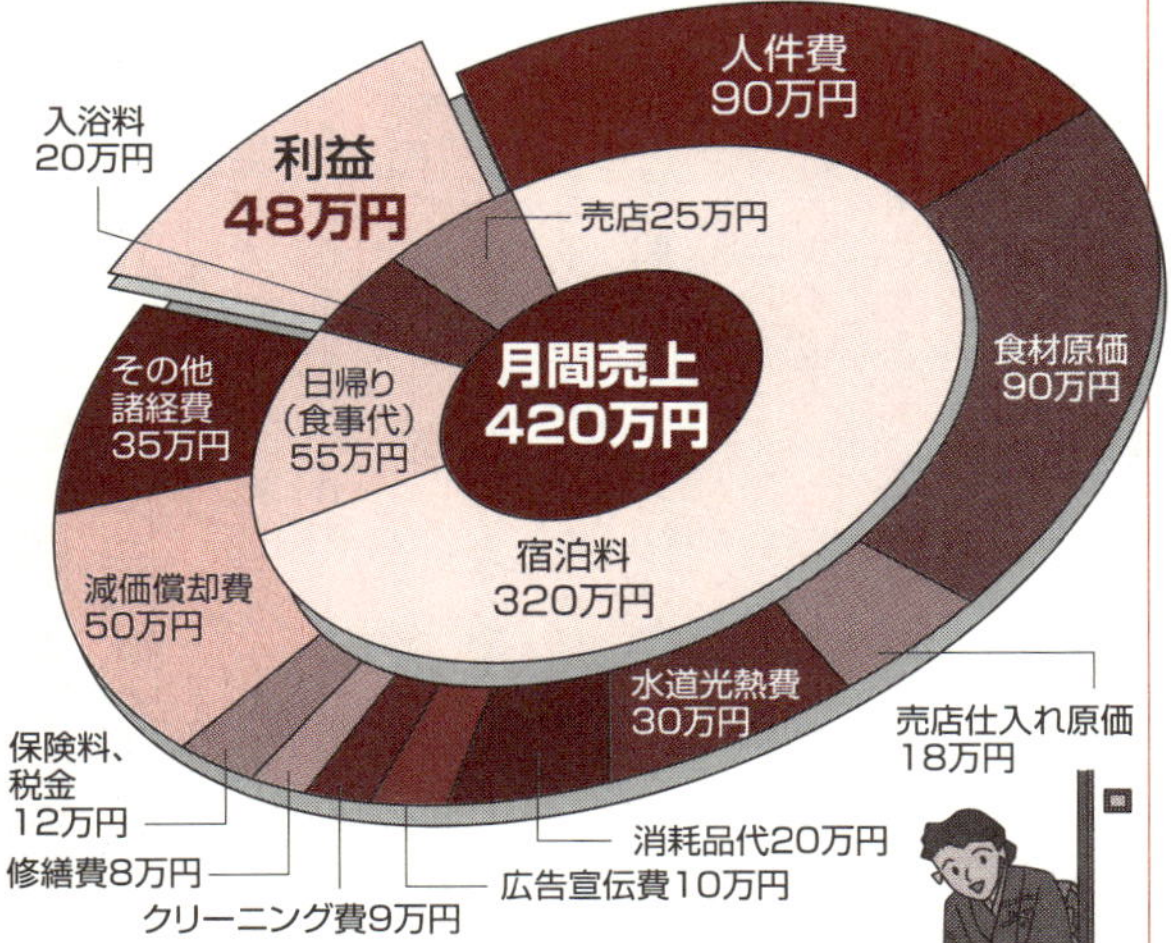

1人客、2人客は儲からない？

「粗利＝料金－食材原価（2食で3000円）」として計算した場合の例

	1人1室	2人1室	3人1室	4人1室
1人あたり宿泊料金（1泊、2食付き）	1万5000円	1万3000円	1万1000円	9000円
1室の宿泊料合計（A）	1万5000円	2万6000円	3万3000円	3万6000円
1室の食材原価合計（B）	3000円	6000円	9000円	1万2000円
1室あたり粗利（A−B）	1万2000円	2万円	2万4000円	2万4000円

宿泊料金を、1人1室は1万5000円→2万7000円に、2人1室は1万3000円→1万5000円に上げれば、3人1室や4人1室の場合と同じ粗利になるが、割高感が出てしまう

◆1000円散髪

1人10分、立地条件と回転率で高い収益率

地元の床屋でたっぷり1時間、店主と世間話をしながら、顔剃りやシャンプーなどが付いて2000～4000円――これが散髪の相場だった。

しかし近頃、駅構内やショッピングセンターなどで見かける「1000円散髪」は、10分間で一丁上がり。「顔剃りやシャンプーなんて家でもできるから、カットだけで十分」というニーズに応えて大人気だ。忙しいビジネスマンだけでなく、「次に美容院に行くまでの間にちょっと切りたい」という女性客も取り込んでいる。

「1000円散髪」はカミソリを扱わないため理容師免許が必要ないという点で、従来の床屋とは大きく違う。だからといってカットの腕が悪いわけではなく、むしろ、お客の希望通りの髪型を10分間で仕上げる、腕利きの職人が少なくない。

経営面から見ると、客単価は安いものの、**時間あたりの売上は従来の床屋を上まわる**傾向にある。衛生面に注意を払いながら徹底的な合理化を図り、立地条件のいい場所に出店して回転率を維持することによって、高い収益性が確保できるのだ。

1000円散髪と従来の床屋の違いは？

	従来の床屋	1000円散髪
洗髪	あり	なし（切った髪の毛は掃除機に似た器具で吸い取る）
ひげ剃り、顔剃り	あり	なし（カミソリを扱わないので理容師免許は不要）
マッサージ、耳掃除	あり	なし
髪型の注文、オプションサービス	・髪型の注文には幅広く対応 ・追加料金でパーマやカラーリングも可能	・髪型の注文には従来の床屋とほぼ同様に対応しているが、時間がかかりすぎるような注文には応じられないことも ・パーマやカラーリングはできない
客層	男性が大部分	男性中心だが、女性も利用
所要時間	約60分	約10分
料金	約2000～4000円	1000円

こうしたサービスは必要ないと思っているお客にとっては合理的

ちょっと伸びた毛先を切りそろえてもらうなど、美容院に行くまでのつなぎ的に利用

※サービス内容は店により違いがあるので、必ずしもこの表の通りとはかぎらない

「回転率」が重要！

客単価は低いが、時間あたりの売上では従来の床屋を上まわるので、一定の回転率を確保できればトータルの収益性も高くなる

効率化のためのさまざまな工夫

- **料金は自販機で前払い**
  →現金管理の手間とコストを省ける
- **洗面台を置かない**
  →1座席あたりのスペースがより少なくてすみ、設備コストも低減
- **立地の工夫**
  →駅ビル、駅構内、ショッピングセンターなど、外出のついでに利用してもらいやすく、高回転が見込める場所に出店

◆便利屋

資格はいらないが信用第一、その仕事内容は?

法に触れないかぎり、およそなんでも代行してくれる**便利屋**。女性の社会進出や一人暮らしの高齢者の増加で、需要は高い。特殊な設備や資格はとくに必要ないため、個人開業する人は多い。しかし、仕事内容はまさに種々雑多。**家事全般の代行**、**風呂や洗面所などの水まわりや家具の修理**、**ゴミやペットの死骸の処理**、**パソコンのトラブル解消**、**結婚式などの代理出席**などなど、体力勝負のものから専門知識や社会常識が問われるものまで、臨機応変に対応しなくてはならない。フランチャイズ展開している便利屋に加盟すればさまざまなノウハウを伝授してもらえるので、脱サラの転職組にも心強い。それでも手に負えない依頼には、専門業者と連携することもできる。

料金の基本となるのは所要時間や**移動距離**、**危険度**などだが、予想外の依頼が舞い込むこともあり、この点でも臨機応変ぶりが求められる。同業者の増加で「相場」ができつつあるが、低価格競争にはあまり意味がない。お客のプライバシーに触れる地域密着型の仕事なので、信頼感を得てリピーターを増やせるかどうかが勝負だろう。

便利屋の収支例

（FCの場合）

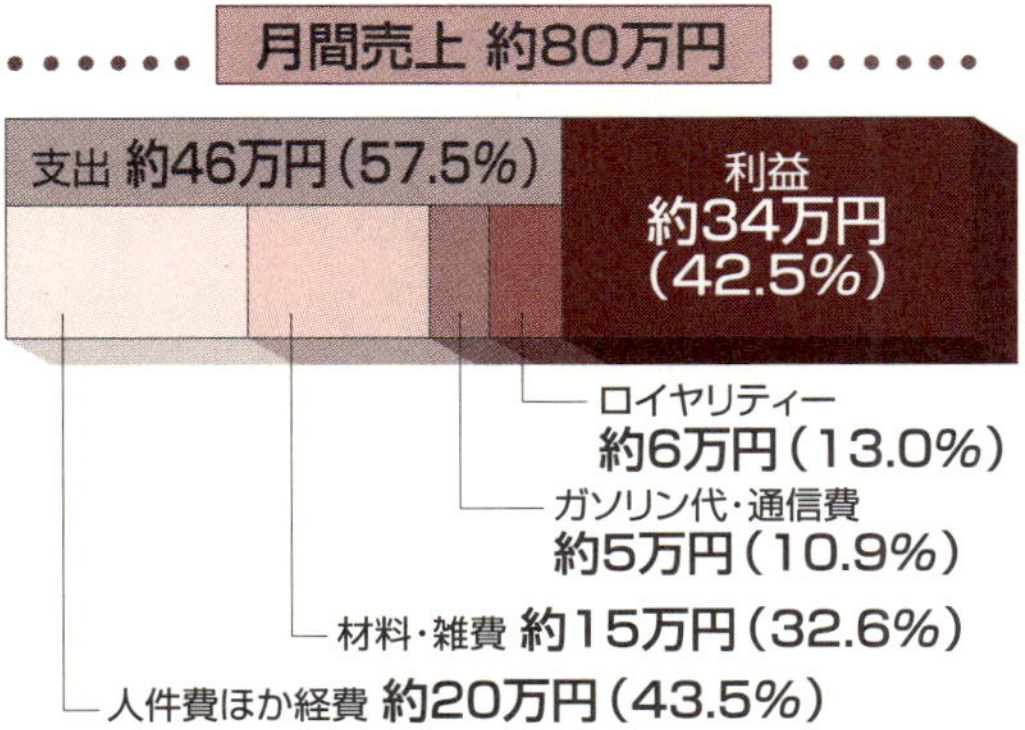

【開業資金の目安】
＊FCの場合。会社により異なる。

加盟金	50万～100万円
研修費	30万～50万
資器材費	20万～100万円
ロイヤリティー	3～8万円

お客に信頼され、リピーターを増やせるかどうかが成功のカギ！

料金の一例

ゴミ・不用品の処理（軽トラック1台分）	1万5000円～
ハウスクリーニング（2DK）	2万5000円～
家具の移動	3000円～
買い物代行	3000円～／1時間
ストーカー対策	2万円～／1案件
順番取り	3000円～／1時間
パソコンサービス	8000円～／1案件
ビデオ録画代行	3000円～／1回

◆キャバクラ

指名・追加オーダー・時間延長……、売上アップ＝給料アップ

キャバクラにはさまざまなタイプのお店があるものの、基本的には隣りに座った女のコとの会話を楽しむ場。システムは「1時間飲み放題6000円」など時間単位のセット制になっていて、以後30分毎に3000円程度の延長料金がかかるのが普通。一方、キャバクラ嬢の給料は基本的には**時給制**で、お客に気に入られて**「指名」が受けられるとポイントとしてカウントされ、給料がアップする**。

料金が時間制であるため、お店としては、追加の飲食料金で客単価を高めたい。追加で頼む**フルーツやつまみ類は、最低でも1000円程度、原価の数倍～数十倍**もの値段がついている。お客の側も割高なのはわかってはいるものの、女のコにおねだりされると、ついオーダーしてしまうのが常。こうした追加オーダーや時間延長、同伴出勤など、**お店の売上アップにつながるものすべてがポイントとなって時給に反映**されるから、女のコたちも必死だ。男の下心とキャバクラ嬢たちの執念が結びついて、お店に利益をもたらしているのだ。

キャバクラ嬢の給与システムは?

（東京都内のチェーン店の例）

料金

セット料金（飲み放題）
1時間4000円（20時まで）
1時間6000円（20時以降）

延長料金
30分2500円
60分4000円

同伴料　2000円

指名料　1時間2000円
（本指名、場内指名とも）

ドリンク類　1000円～

つまみ類　1000円～

キャバクラ嬢の収入

時給　2000円～

同伴バック　1回3000円
指名バック　1本1000円
（本指名のみ。
場内指名はバックなし）

※店によっては「延長バック」や「ドリンクバック」があることも

店の売上の約50%がキャバクラ嬢の給料に

ノルマ

月間ノルマ ▶ 150～200ポイント（勤務日数や時給により異なる）

ポイントの種類

同伴出勤　3ポイント
本指名（入店時の指名）　1ポイント（20時前の本指名は2ポイント）
※場内指名はポイントなし

- 熱心な固定客がつけば、同伴&本指名を1日数回こなしてポイントの荒稼ぎも可能!
- ポイントの獲得実績に応じて時給アップも

※店によっては、
月に数回「指名日」「同伴日」を設けて
指名数・同伴数の短期ノルマを課すことも

客側の心理

同伴すれば追加料金がかかるが、ひいきにしているキャバクラ嬢が自分の援助によってランクアップしていくのが楽しみ

罰金

当日欠勤　5000円（無断欠勤は2万円）

遅刻　10分ごとに1000円

あまりに遅れると、その日の稼ぎより罰金のほうが多くなってしまうことも……

商売の「裏」がわかるコラム❶

新しいのに古い？「新古車」とは

自動車販売業界には、売上台数に応じて支払われる「販売報奨金」というシステムがある（→26ページ参照）。そのため、販売実績がある一定台数に達すると仕入れコストが急激に下がるという現象が生じる。

そこで、買い手が決まっていないにもかかわらず、試乗車などの名目で新車が自社名義登録されることがある。ディーラーが販売実績を増やしたいときに使う「奥の手」だ。

ただし、一度登録されたクルマは、その時点で「中古車」扱いとなってしまう。このような、新車同然の中古車は「新古車」と呼ばれる。

一般に、新古車は正規ディーラー店では販売できないので、中古車業者などが引き受ける。トラックなどの大型車には新古車が多く、ほかに、ショールームで展示されたり、搬送中に傷付けてしまった新車なども、新古車扱いとなることが多い。新車同然なのに価格が安く、税金も割安。隠れたお買い得商品といえるだろう。

なお、販売時に「新古車」と表示するのは自動車公正取引協議会の規約違反になるため、「登録済未使用車」等の表示で販売されていることが多い。

2章

「儲け」はどこで生み出すか

利益のモトを探すノウハウ

◆デパート
どのフロアで利益を出すか――その決め手は？

多様な商品を扱うデパートでは、お客をいかに長く店内にとどめ、多くの商品に目を向けさせるかが、売上アップの大きなカギとなる。多くのデパートで1階にブランド品や化粧品の売場があるのは、最大のターゲットである女性客をまずは店内に呼び込み、そこから上の階へ誘導するねらいがある。これは「噴水効果」と呼ばれている。

反対に、最上階に催事場やレストラン街を設けるのは、買い物の予定がなくても店内に足を運ばせるため。階を降りる途中で各フロアに立ち寄ってもらい、「ついで買い」を誘うというわけだ。こちらは「シャワー効果」と呼ばれている。

景気の低迷で倒産や閉店が相次ぎ、停滞ムードに包まれていたデパート業界だが、最近は、地下の食品売場がこだわりの品ぞろえで人気を呼び、なんとか元気を取り戻しつつある。ターミナル駅などのデパートは鉄道の改札口と連結している場合が多く、駅利用者を呼び込みやすいのが大きな強み。「デパ地下ブーム」からどれだけの「噴水効果」を引き出すかが、デパート活性化の重要なポイントといえそうだ。

各階にお客を回遊させるカラクリ

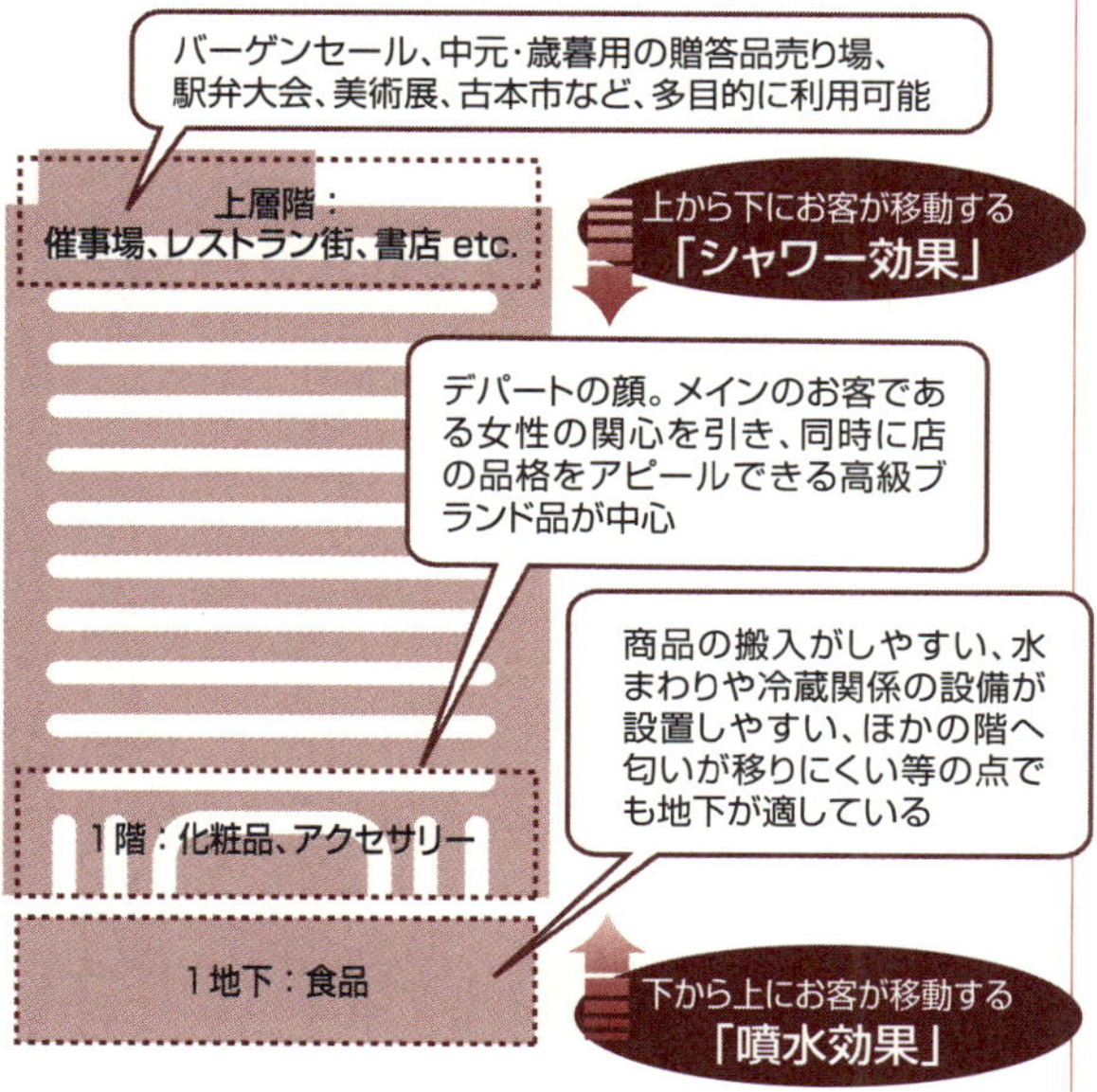
バーゲンセール、中元・歳暮用の贈答品売り場、
駅弁大会、美術展、古本市など、多目的に利用可能
上層階：
催事場、レストラン街、書店 etc.
上から下にお客が移動する
「シャワー効果」
デパートの顔。メインのお客である女性の関心を引き、同時に店の品格をアピールできる高級ブランド品が中心
商品の搬入がしやすい、水まわりや冷蔵関係の設備が設置しやすい、ほかの階へ匂いが移りにくい等の点でも地下が適している
1階：化粧品、アクセサリー
1地下：食品
下から上にお客が移動する
「噴水効果」

デパート売上ランキング

(2002年)

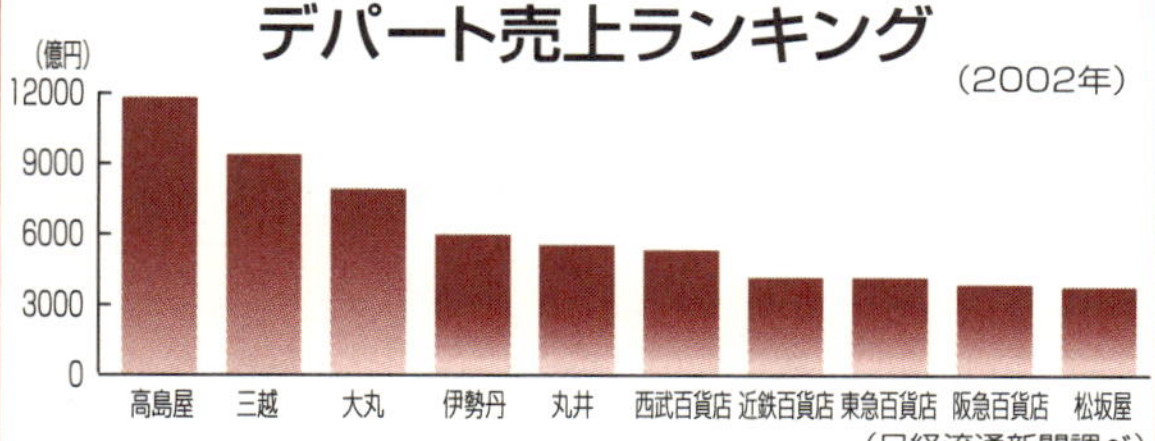
(億円)
12000
9000
6000
3000
0
高島屋
三越
大丸
伊勢丹
丸井
西武百貨店
近鉄百貨店
東急百貨店
阪急百貨店
松坂屋

(日経流通新聞調べ)

◆スーパーマーケット

お客の心理を読んだ、売り場の商品配列って?

スーパーマーケットの棚配置や商品の並べ方は、違ったチェーンの店でも似通っていることが多い。これは、店内での**お客の動き（動線）と購買心理を研究し尽くした末に導き出された、「業界標準」ともいえるレイアウト**だ。

まず、入口周辺には特売商品を置く。洗剤や即席麺、トイレットペーパーなどは集客効果にすぐれるうえ、大量一括仕入れでコストを下げやすい。目玉の特売品の安さで、お客の気持ちを「買い物モード」に切り替えさせる効果もある。

売上の多い精肉・鮮魚などは店の奥に配置して、お客に**店内全体を移動してもらうように誘導する**。惣菜類は動線の終わりのほうに置き、「最後にもう一品」として買わせるしかけになっている。パンや卵類がレジ近くにあるのは、カゴの中でつぶれてしまわないようにという配慮だ。

こうした棚配置と並んで重要なのが、商品が常に棚の手前側に並ぶようにする**「前出し」**の作業。これがきちんとできているかどうかで、売上に大きく差が出る。

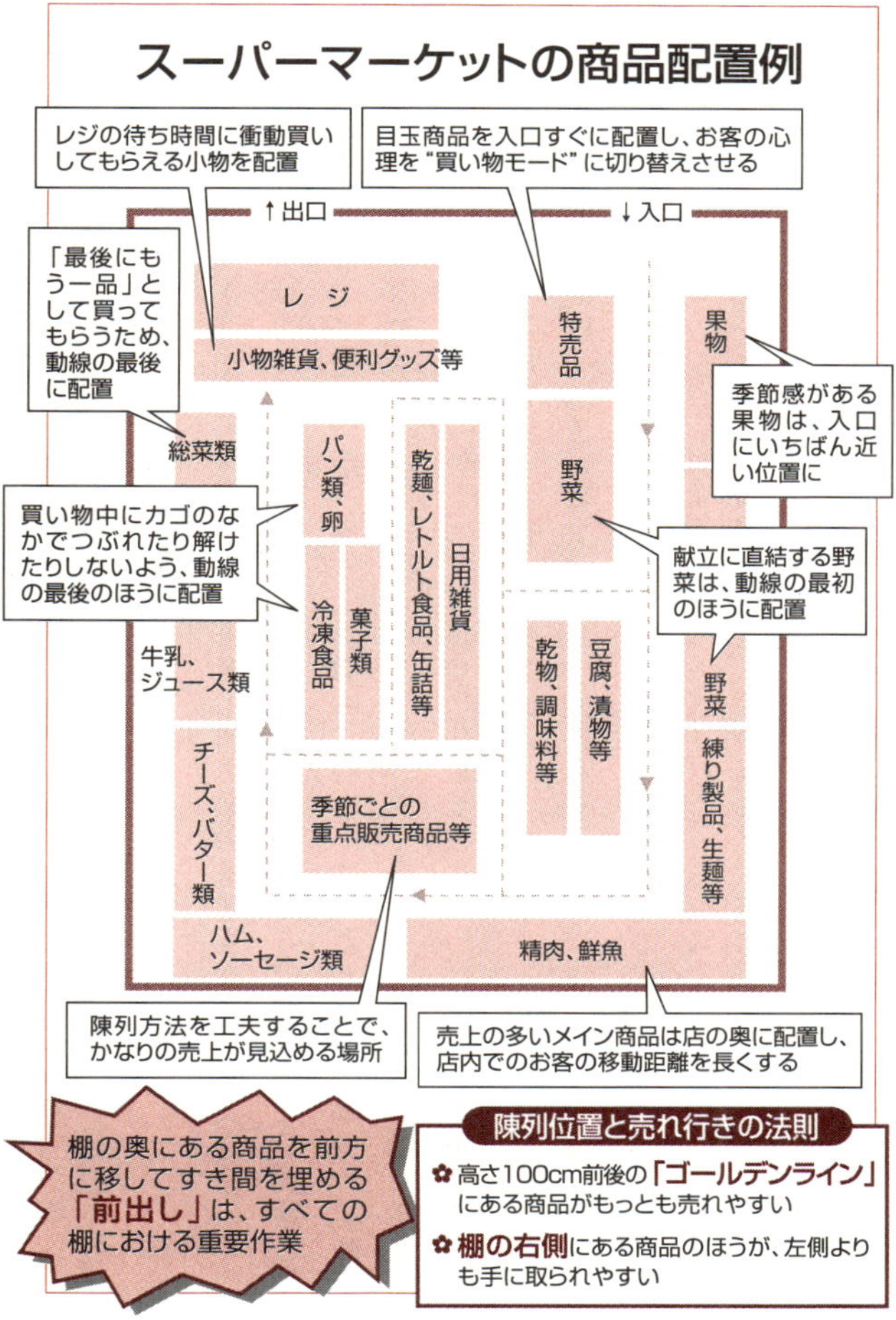
スーパーマーケットの商品配置例
レジの待ち時間に衝動買いしてもらえる小物を配置
目玉商品を入口すぐに配置し、お客の心理を"買い物モード"に切り替えさせる
↑出口
↓入口
「最後にもう一品」として買ってもらうため、動線の最後に配置
レ　ジ
小物雑貨、便利グッズ等
特売品
果物
季節感がある果物は、入口にいちばん近い位置に
総菜類
パン類、卵
乾麺、レトルト食品、缶詰等
日用雑貨
野菜
買い物中にカゴのなかでつぶれたり解けたりしないよう、動線の最後のほうに配置
献立に直結する野菜は、動線の最初のほうに配置
冷凍食品
菓子類
牛乳、ジュース類
乾物、調味料等
豆腐、漬物等
野菜
チーズ、バター類
季節ごとの重点販売商品等
練り製品、生麺等
ハム、ソーセージ類
精肉、鮮魚
陳列方法を工夫することで、かなりの売上が見込める場所
売上の多いメイン商品は店の奥に配置し、店内でのお客の移動距離を長くする
棚の奥にある商品を前方に移してすき間を埋める「前出し」は、すべての棚における重要作業
陳列位置と売れ行きの法則
✿高さ100cm前後の「ゴールデンライン」にある商品がもっとも売れやすい
✿棚の右側にある商品のほうが、左側よりも手に取られやすい

◆ケーキ屋

「味＋α」で勝負して、その粗利は？

ケーキ屋には大きく分けて、**大手洋菓子メーカー系のチェーン店と個人経営**の2種類の店がある。一般的に大手チェーンは、ブランド力、あたりはずれのない**安定した味、手頃な価格**などが特徴だが、最大公約数的に幅広く売れる商品が工場で大量生産されるため、個性に欠ける点は否めない。

これに対抗して個人経営のケーキ屋を成り立たせていくためには、その**店ならではの特色を前面に出して固定客を獲得**する必要がある。味がおいしいのは当然として、さらに、若い女性向け、あるいはファミリー向けなど、ターゲット層をしぼったり、その土地ならではの素材を盛り込んだりと、なんらかの個性的なコンセプトや付加価値を打ち出すことで、全国区の有名店になったお店は少なくない。

また、ケーキのような嗜好性の高い商品は、味以外に、店のイメージ作りも大切。凝った商品包装などで個性をアピールできる個人経営のケーキ屋は、大手チェーン店の強力なライバルになっている。

洋菓子店の収支

（15坪のFC店の例）

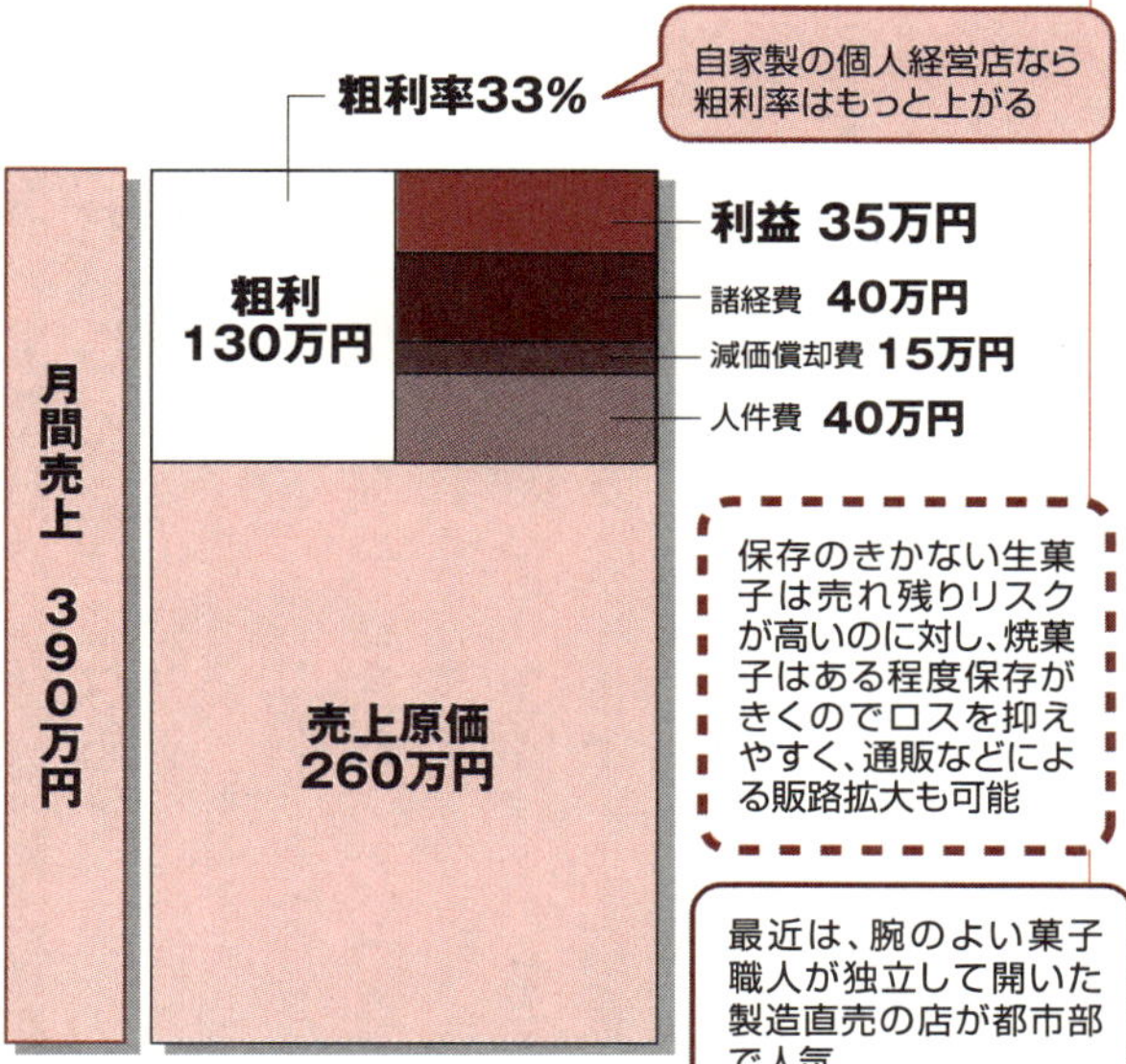

繁盛店になるためのコツ

店のコンセプトを明確にすること

- 低価格をウリにする大衆店
- 素材にこだわる高級店
- 若い女性にうけるおしゃれなイメージ
- ファミリー向けの親しみやすいイメージ

等々

◆アイスクリーム店

これがなぜ「おいしい商売」になる?

１９８０年代中期、「プレミアムタイプ」と呼ばれる濃厚な味わいのアイスクリームが日本に上陸し、ブームが起こった。しかし、今ではコンビニでも高級アイスを買えるようになり、かつての「特別感」はなくなった。これは、アイスクリームが１年中、身近なデザートになったということでもある。

極端なシーズンオフがなくなった今、アイスクリーム店の開店は脱サラ組にとってねらいめだ。**せまい店舗スペース、アイス職人としての修業経験なし……それでも十分オーナーになれる。**もちろん、有名フランチャイズ店に加盟して、それなりの店舗をかまえる選択肢もあるし、素材にこだわった本格的な専門店を目指してもいい。自己資金や自分の能力に合わせて、営業形態は変幻自在というわけだ。

ただし、ダイエットに関心の高まっている最近では、アイスクリームは高カロリーと敬遠される傾向もある。**ヘルシー志向に対応**できる商品開発が、新規参入の際には必要だろう。

アイスクリーム店の収支例

（店舗面積15坪のFC店の例）

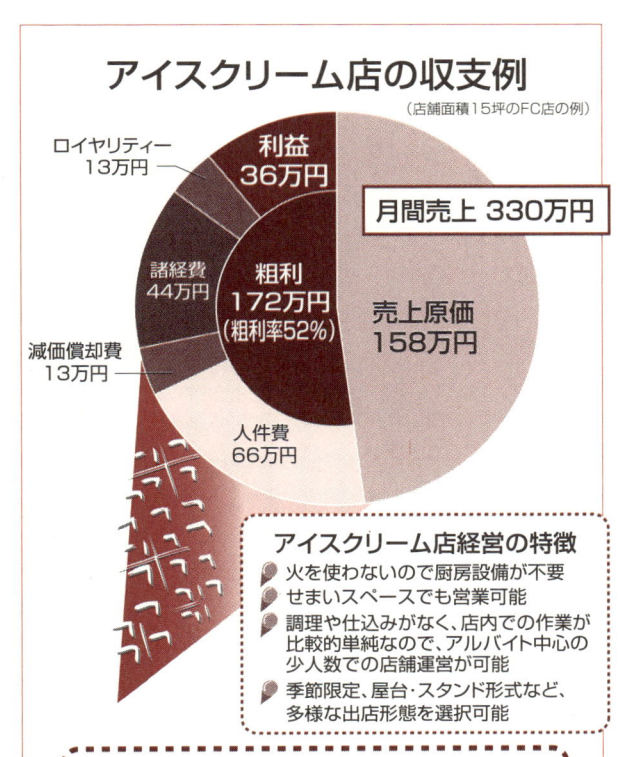

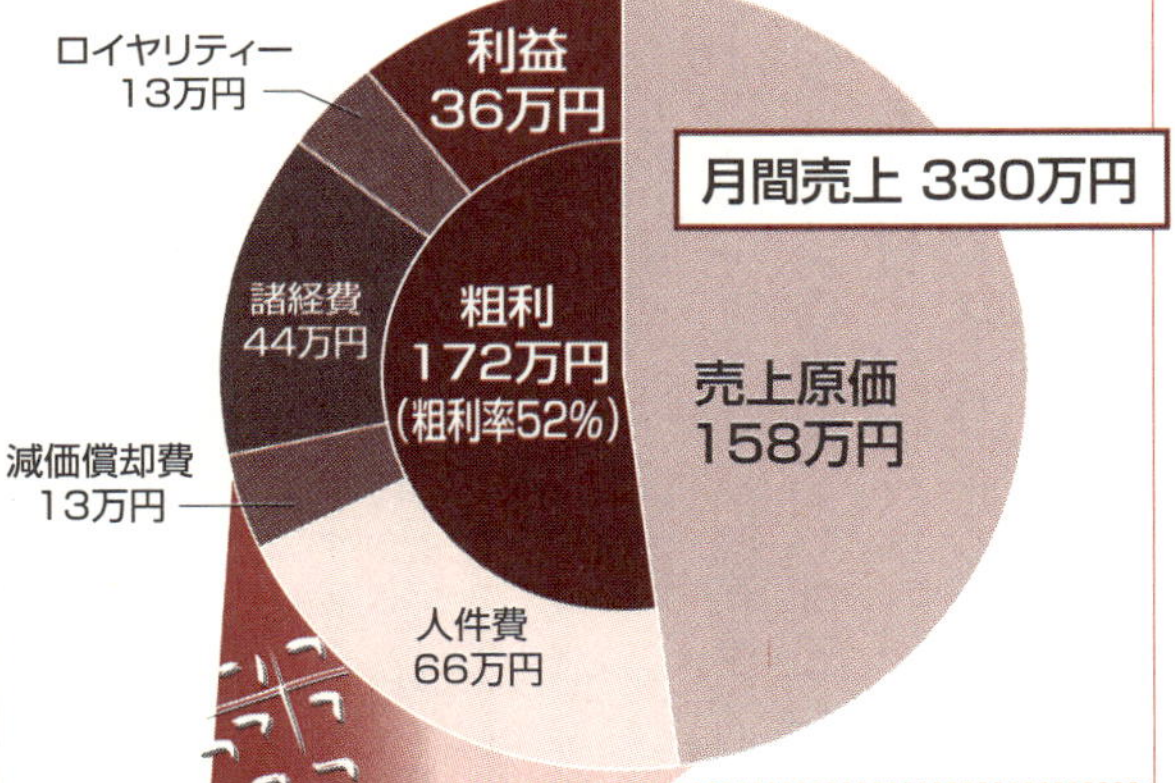

アイスクリーム店経営の特徴

- 火を使わないので厨房設備が不要
- せまいスペースでも営業可能
- 調理や仕込みがなく、店内での作業が比較的単純なので、アルバイト中心の少人数での店舗運営が可能
- 季節限定、屋台・スタンド形式など、多様な出店形態を選択可能

「暑いほど売れる」とはかぎらない

- アイスクリームがいちばんおいしく感じられる気温は22～25℃
- 30℃を超えるとアイスクリームの売れ行きが鈍り、かき氷が売れ始める
- 冬でも、寒い日が続いたあと一時的に暖かくなったときなどはよく売れる

◆お好み焼き屋
原価率30％以下、多彩な展開が可能に

お好み焼きやタコ焼きなどは、メインとなる材料が小麦粉なので「粉モノ」と呼ばれ、原価率が低いことでも知られている。お好み焼きの**原価率はだいたい25〜30％**。ベースになる生地を用意しておけば、具材を変えるだけでメニューに変化をつけられる。さらに、お客が自分で焼くセルフスタイルなら、従業員に特別な技術は必要ない。

これらの理由で、お好み焼き屋は素人にも経営しやすく、庶民的なイメージで親しまれてきた。しかし最近では、そのイメージを変えるような店が続々と登場している。

キムチやチーズなどを使った**無国籍風のお好み焼き**を提供する店、ステーキ店のように**専門のシェフがお客の目の前で焼いてみせる**店などのほか、鉄板焼きやお酒とのセットで**3000円以上のコースメニュー**を出す店もある。その一方で、より手軽さを追求した**ファーストフード形式**の店も登場している。

もともとシンプルな食べ物なので、アレンジは自由自在。外食産業の新しい可能性として、お好み焼き屋を見直す動きが広がっている。

お好み焼き屋の収支例

（店舗面積20坪のFC店の例）

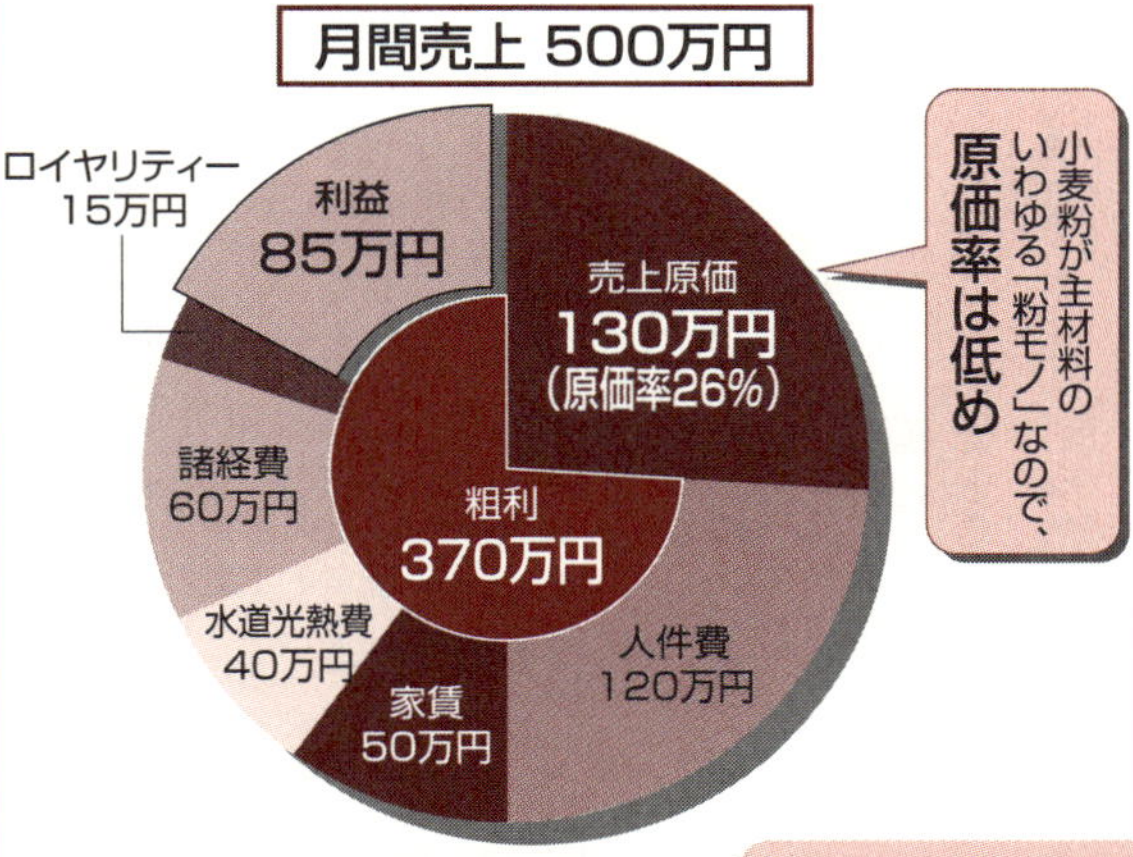

お好み焼き屋経営の特徴

- お客が自分で焼く「セルフ方式」なら、高い調理技術を持たないアルバイト店員中心に運営できるので、人件費を抑えられる
- 少数の食材で多種類のメニューを提供可能
- 鉄板焼き、焼きそばなど、鉄板を利用したメニューを複合展開することが可能
- 夏場は客足が落ちやすい

・関東はセルフ式、関西は店側が焼いて出す方式が主流
・個性的なメニューや高級感をウリにする店が増えていることから、セルフ式は減少傾向

◆韓国料理店（ビビンパ専門店）

ビビンパ、冷麺の原価ってどのくらい？

プルコギやビビンパなど、思いのほか野菜をたっぷりとれる料理が多く、唐辛子もダイエットにいいらしい――そんなヘルシー感が韓国料理の人気をあと押しし、最近ではビビンパ専門店など、より手軽に韓国料理を楽しめる店も増えてきている。

こうした店では、ビビンパや冷麺といった定番メニューが600～700円程度に設定され、一般的な焼肉店より値段は安め。しかも、アルコールより食事がメインなので、高い客単価は望めない。

その代わり、**滞在時間が短く、客の回転率が高い**。ここが利益を生むポイントだ。1人客でも利用しやすいよう、テーブル席よりカウンター席をメインにする手もある。

料理の原価率は30％前後。韓国料理の基本となる鶏ガラスープやナムルは、複数のメニューに使いまわすことができるので、まとめて作りおきすれば、調理の手間や原材料費を軽減できる。日本人の味覚に合わせてアレンジした「和風韓国料理」を考案するなど、独自の工夫でお客を引き寄せている店も多い。

利益はここで生まれる！

（個人経営のビビンパ専門店の例）

石焼きビビンパ 650円

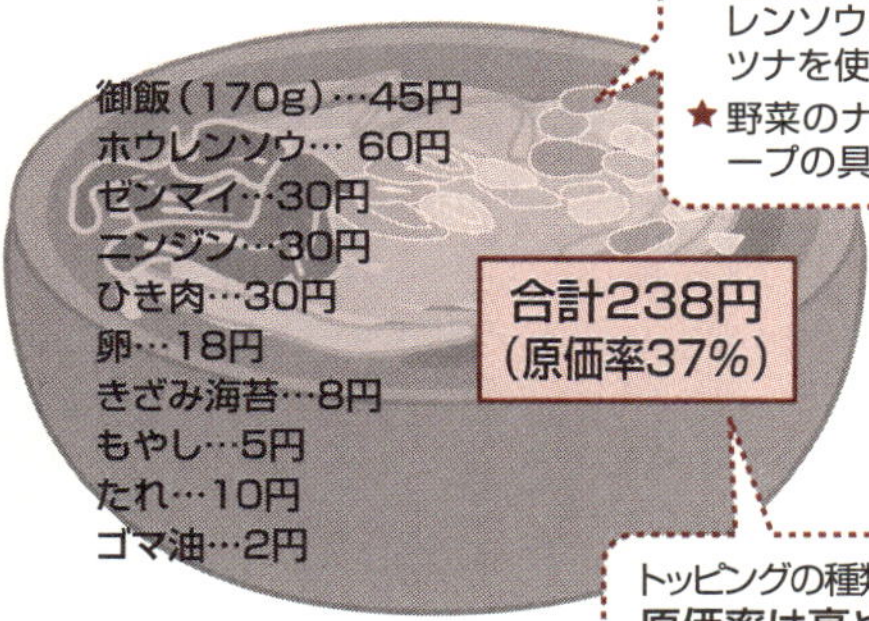

御飯（170g）…45円
ホウレンソウ… 60円
ゼンマイ…30円
ニンジン…30円
ひき肉…30円
卵…18円
きざみ海苔…8円
もやし…5円
たれ…10円
ゴマ油…2円

合計238円
（原価率37%）

★野菜の値段は時期により変動が大きいので、ホウレンソウの代わりにコマツナを使うことも
★野菜のナムルは、野菜スープの具としても使える

トッピングの種類が多いぶん、
原価率は高め

冷麺 700円

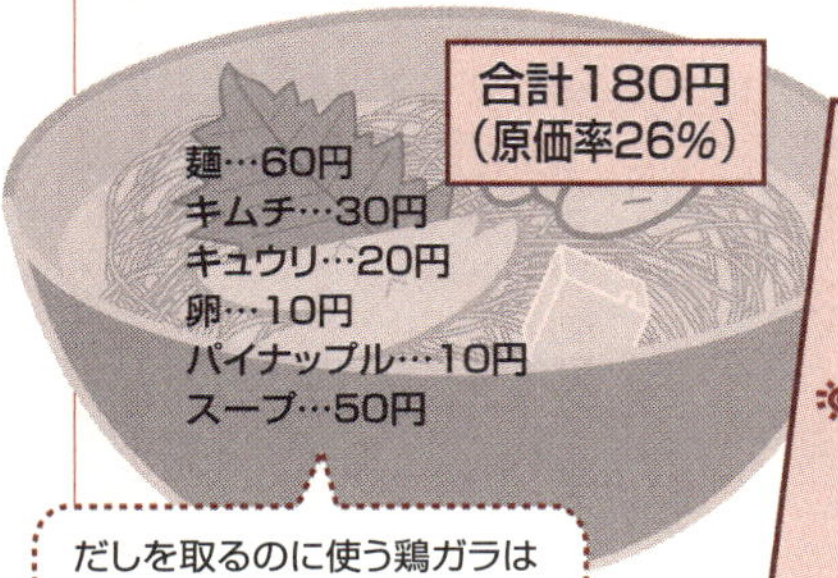

麺…60円
キムチ…30円
キュウリ…20円
卵…10円
パイナップル…10円
スープ…50円

合計180円
（原価率26%）

だしを取るのに使う鶏ガラは
5kgで約700円
冷麺以外にスープ類にも使用

利益を生むポイント

- 食材やスープを複数のメニューに使いまわす
  →調理時間や原材料費の軽減
- アルコール類は出さず食事中心の店とする
  →客単価は低くなるが滞在時間が短いので回転率が上がる

◆酒屋

スーパー・量販店相手に、どう生き残る?

酒類を販売するためには酒販免許が必要だが、これには距離による規制や商圏人口による規制があり、新規出店はむずかしい状況が続いていた。逆にいえば、いったん免許を取得して店をかまえてしまえば、近所に商売敵が現われる心配はなかったのだ。

ところが、この業界にも規制緩和の波が押し寄せ、**距離による規制は2001年1月に、人口による規制も03年9月に撤廃され、事実上の自由化**となった。既存の大型量販店にスーパーなどの新興勢力が加わった低価格競争はすでに過熱状態となっていて、ビールなどは客寄せ用として利益度外視の値段で売られていることも多い。

こんな状況のなか、小規模な個人経営店が価格競争で張り合おうとしても、勝ち残れる見込みはきわめて低い。そこで、地域に密着した営業活動や、独自のこだわりを持った個性的な品ぞろえ、個人経営店同士が共同してのプライベートブランド商品の開発など、量販店ではカバーできない、きめ細かなサービスの提供で活路を見いだそうと、経営者の必死の模索が続いている。

酒屋の収支例

（個人経営の店の例）

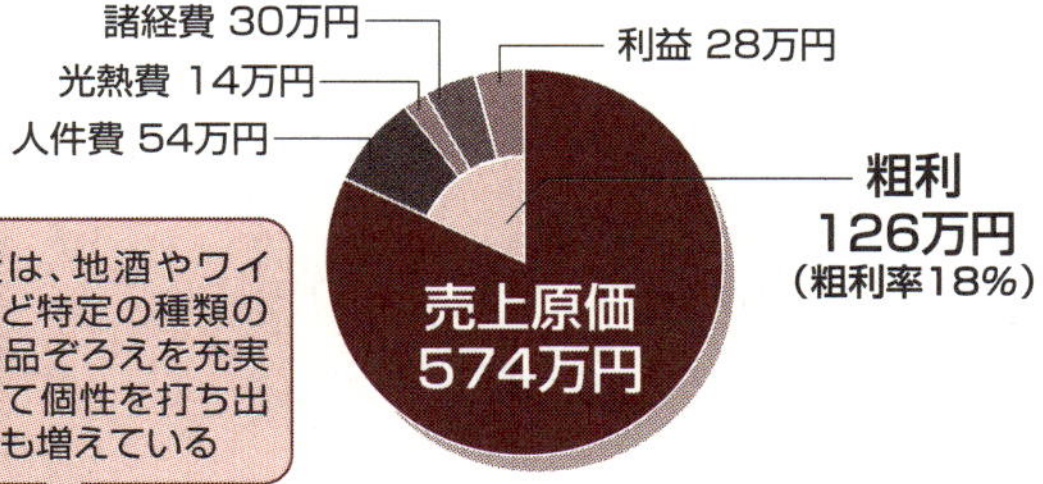

最近は、地酒やワインなど特定の種類の酒の品ぞろえを充実させて個性を打ち出す店も増えている

月間売上 700万円	
酒類 50% ・ビール:30% ・日本酒:8% ・焼酎:7% ・洋酒:5%	**その他 50%** （食料品、タバコなど）

個人経営店の強力なライバル ＝ DS（ディスカウント店）スーパー ➡ 異業種からの参入が増える一方で、個人経営店は減少傾向

生き残るにはどうしたらいいか？

- DSやスーパーと競合しにくい商品に力を入れる（地酒、本格焼酎、輸入ワインなど）
- 地域とのコミュニケーションを深め、お酒の楽しみ方、店の個性をアピールする（試飲会、お酒に合う料理の講習会、情報誌の発行など）
- 新商品に関する情報収集を欠かさない（品評会、勉強会など）

［規制緩和が進む酒販免許］

◆距離基準（大都市部の場合、既存店から100メートル以内には新規出店ができない）
→2001年1月に撤廃

◆人口基準（大都市部の場合、人口1200人に1店の割合を超える新規出店ができない）
→2003年9月に撤廃

⬇

事実上の自由化へ

◆自転車店

利益の中心は、新車販売よりも「修理代」

ディスカウントショップやホームセンターにお客を奪われている個人経営の自転車店は、いろいろ智恵をしぼって売上の向上に努めている。

たとえば、仕入れ値６５００円の自転車に６９８０円という破格値を付けて広告を打つ。しかし、これはいわゆる**「オトリ商品」**で、最初から売り切れだったりする。

そして、これを目あてに来たお客に、別の９９８０円の自転車を、「グレードが高いが、これもお得な特売品」としてすすめる。お客はたいてい1万円くらいは用意してきているから、まあこれでもいいかと買っていくことが多い。こうした売り方はごく一部の例だとしても、新車の販売による利益というのは、たかが知れている。

むしろねらいは、**その後の修理などで長く自分の店の顧客になってもらう**ことにある。いまや自転車店の経営は修理代によって成り立っているといってもよい。修理代の大部分は人件費（工賃）。たとえば、パンク修理は８００～１２００円程度が相場だが、使う**部品の原価はかなり安く、相当の粗利率が見込める。**

自転車屋さんの売上例

（町の自転車屋さんの場合）

自転車販売台数

1月5台売れたとして、

販売価格3万円
（仕入値 2万2000円）×5＝

新車販売月間売上15万円
利益4万円

修理件数

1日につきパンク修理6件、タイヤチューブ交換2件、その他4件として

パンク修理
1000円
（原価10円）　×6×25日＝ 月間売上15万円

前後タイヤ・チューブ交換
7000円
（原価1000円）　×2×25日＝ 月間売上35万円

その他の修理
5000円
（原価1000円）　×4×25日＝ 月間売上50万円

修理の月間総売上100万円
月間利益84万8500円

- ママチャリの仕入値は販売価格の60〜70%程度
- 販売価格の高いスポーツ車は旧型になると、仕入値が45%くらいに

自転車屋さんの経営は
新車の販売よりも
修理代によって
成り立っている！

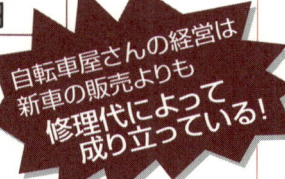

◆畳屋

畳1枚の原価、知っている？

畳1枚の値段を聞かれて即答できる人は、意外と少ないだろう。昔ながらの天然素材を使った畳は人工素材に比べてかなり高価なのでは……と思いがちだが、じつはそれほど差はない。**天然素材**のものは香りや肌触りがよい反面、虫干しなどメンテナンスの手間がかかることもあり、現在では**人工素材が主流**となっている。

畳作りには基本的に機械を使うが、それでもけっこう手間がかかる。個人宅から畳表の張り替えを依頼された場合、畳を店に持ち帰って作業することが多いが、家具の移動や階段の上り下りなどで、予定外の時間と体力を費やすことも少なくない。

このように、個人宅だけを相手にしていたのでは、効率面でわりに合わず、需要も一定しない。そこで、**工務店やリフォーム会社など、建築関係の得意先を確保すること**が大切になってくる。

近年は洋間が増加し、畳の需要は年々減少しているが、カラフルな畳や正方形の畳など、時代にマッチした**新感覚の畳**を考案し、生き残りを模索する動きも盛んだ。

畳の種類と値段は？

（個人経営の畳店の例）

原料の供給量が減ってコスト高のうえ、手入れがやや面倒（カビ、ダニが発生しやすい）なので、最近は少数派に

手入れがラク。最近の主流

●新畳

畳床/畳表のタイプ	天然床（天然のワラを心材に使用）	化学床（発泡スチロールを心材に使用）
国産畳表（高級タイプ）	2万円（原価 約6700円）	1万6000円（原価 約5300円）
国産畳表（普及タイプ）	1万8000円（原価 約6000円）	1万4000円（原価 約4700円）
中国産畳表	1万6000円（原価 約5300円）	1万2000円（原価 約4000円）

●表替

国産畳表（高級タイプ）	9000円（原価 約3000円）
国産畳表（普及タイプ）	7500円（原価 約2500円）
中国産畳表	6000円（原価 約2000円）

ほかに化学素材の畳表もあるが、値段や風合いの点で天然物にやや劣り、あまり普及していない

不要になった畳はどうなる？

個人宅等
1500円/枚の手数料で引き取り

▶

畳屋
約700～1000円/枚で処分を依頼

▶

廃棄物処理業者
リサイクル（肥料等）、焼却処分等

◆質屋

利息はいくら？　鑑定眼はどう磨く？

質屋で扱う質草（質入れ品）は時代とともに様変わりし、現在では、**高級ブランド品や貴金属類などが中心**。高級ブティックのような雰囲気の店内に質流れのブランド品を並べて販売するオシャレな質屋も登場して、格安の掘り出しモノをねらう若い女性たちに人気だ。

もちろんこれ以外にも、質屋には、少しでもお金になりそうな物ならなんでも持ち込まれる。美術品や骨董品、毛皮にＯＡ機器、楽器にゴルフ用品などなど、対象は幅広い。なかには、盗品や、巧妙に作られた偽ブランド品を持ち込んで換金しようとする輩もいたりするから油断ならない。

いつ、どんな物が持ち込まれても、その場で即座に価値を判断し、値踏みをしなければならないから、**幅広い商品知識と正確な鑑識眼**が求められる。

5年、10年、20年と鑑定の場数を踏んで初めて一人前になれる、なかなか奥の深い商売といえる。

質屋のシステム

・汚れの程度、保証書の有無なども鑑定額を大きく左右する
・新品同様の人気ブランド品なら、**定価の約60～70％**で買い入れることも

質入れ

◆品物を預ける代わりにお金を借りる

◆最近の質入れ品の主流
「小さくて高価なモノ」
「質流れしても買い手が見つかりやすいモノ」
高級ブランドのバッグ（ルイ・ヴィトン等）、腕時計（ロレックス等）、宝石、貴金属、デジカメ、ビデオカメラなど

◆品物を預けるのでなく、その場で所有権が店側に移動する「買い入れ」もある

・利息は**9％が上限**
・預かり期間は**3カ月が基本**
・利息だけ支払って預かり期間を延長してもらうことも可能

期限内に「元金＋利息」を

支払う → **質入れ品の返却**

借りたお金を返さなくても、利息がふくらんだり取り立てが行なわれたりしないのが特徴

支払わない → **流質**
質入れ品の所有権は自動的に店側に移動
↓
古物市場、店頭などで「質流れ品」として売却

◆住宅リフォーム

水まわりは利益率が高い、その理由

高齢化社会に対応したバリアフリー需要など、将来性が期待されているリフォーム事業。料金は、必要な資材の仕入値に、現場の職人の工賃、さらに業者の経費と利益を加えたものとなる。

一般にリフォーム業者は、工事を下請けに出したり、大工、左官、塗装、電気設備などの作業ごとに専門の職人に発注したりするため、そのぶんの**マージンも料金に上乗せされている**。そのため、見積りには「諸経費」「管理費」などの名目が加わり、素人にはわかりづらいものとなる。通常、**クロス張り、床張りなどの作業は、手間がかかって工賃がかさむが値段はあまり上げられず、利益率は低め**。逆に、**水まわりの工事は値段のわりに短時間ですむことが多いため、利益率が高い**という。

リフォームを依頼するときは大手のブランドネームにひかれがちだが、下請け業者が介在しているため、クレーム処理などに時間がかかり、必ずしも「大手は高いが安心」というわけでもないようだ。

料金設定の基本＝「材料費＋人件費＋利益」

例）クロス張り替え：1000円／㎡

（内訳）
材料費 **200円**
職人の人件費 **600円**
利益 **200円**

システムキッチン、洗面台などの原価率（仕入れ金額／見積りでの工事費等を除いた表示金額）は**60%程度**

壁の面積は、クロスがムダになる半端部分（梁など）を考慮して**約10〜15％増**で計算するのが一般的

- クロス張り、床張りといった作業は手間がかかるので**利益率が低め**
- 水まわりの工事などは値段のわりに短時間ですむので**利益率が高め**

安い業者＝いい業者？

- 相場より極端に安い場合は「材料費」「人件費」「利益」のどれかが削られていることになるので、仕事の質も落ちやすい
- ただし、下請けの構造によっては中間マージンが上乗せされているために料金が高いというケースも……

リフォーム料金例

クロス張り替え	1000円〜／㎡
フローリング床張り	2万円〜／坪
外壁塗り替え	2万円〜／坪
洋室増築	50万円〜／坪
和室増築	55万円〜／坪
台所をシステムキッチンに改装	65万円〜／一式
浴室をユニットバスに改装	50万円〜／一式

◆住宅防水工事

自分の家を守るためにかかる費用は?

ビルやマンション、一般住宅などを雨水や生活用水の浸水から守る防水工事。水漏れは建物の寿命を縮めるため、新築・改修時には専門業者による施工が欠かせない。

防水加工は、きちんと施工しても自然に劣化するものなので、一般的には**10年ごとのメンテナンスが必要**といわれている。つまり、**工務店や住宅販売会社などの得意先を確保できれば、定期的に仕事を受注**できるというわけだ。

実際の作業量は、現場の傷み具合や下処理の手間の度合いなどでかなり変わってくるので、「○平方メートルあたりいくら」といった単純な料金体系にはなりにくい。取引先との関係によっては、安く請け負わざるを得ないこともしばしばだ。

この仕事のいちばんのリスクは、有機溶剤や防腐剤などの薬品を多く扱うこと。作業の際はマスクをするが、それでも呼吸器系の疾患にかかりやすい傾向があるという。建築物に使われる化学物質が原因の**「シックハウス症候群」**は、施工者にとっても無関係の問題ではないだろう。

防水工事の料金と原価

（個人経営の業者によるFRP［繊維強化プラスチック］防水工事の例）

ベランダ防水工事一式　6000円／㎡

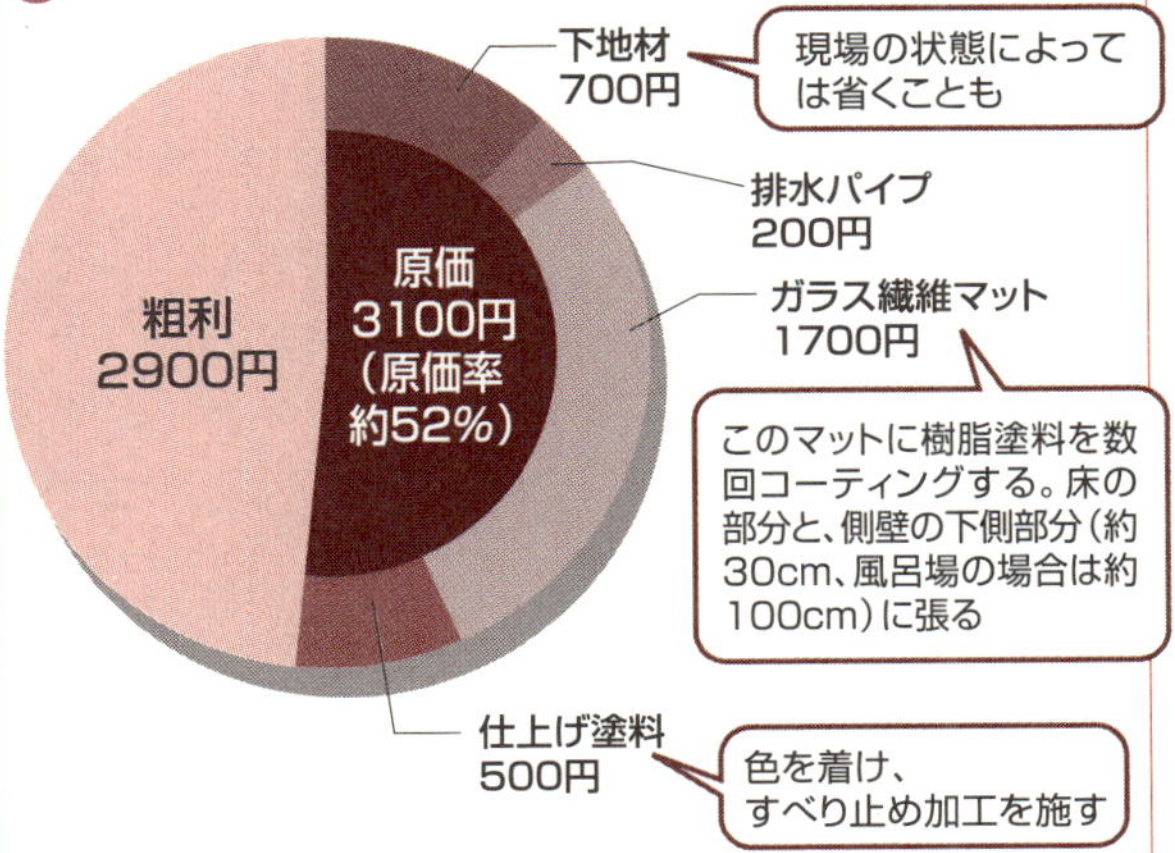

浴室防水工事一式　4万〜5万円

一定の面積（約7㎡）以下の工事は、ベランダでも浴室でもこの料金が最低額

作業内容は、ベランダの場合と基本的に同じ

ビル屋上防水工事一式　5500円／㎡

ビル屋上の場合は面積が大きくなるので、単価はやや下がる

- 防水の寿命は約10年
- 防水工事の種類には、ほかに「シート防水」「ウレタン防水」「アスファルト防水」などがある

◆解体工事

「分別解体」——さていくらかかる?

建物を建て直すときには、古い建物を壊さなければならない。これを担当するのが解体工事業者だ。従来は重機で一気に壊してしまう「ミンチ解体」が主流だったが、リサイクルできない混合廃棄物が生まれるため、費用をかけて最終処分場へ持ち込むしかない。しかし、コスト増を請負料金に上乗せするのもむずかしいことから、コストの安い不法投棄が横行しがちだ。運搬コストを省くため、現場で焼却してしまうといった無茶をする業者もあったという。一方、職人が手作業で解体し、その後重機で解体する「分別解体」なら、ある程度の資材のリサイクルが可能となる。

２０００年から「建設リサイクル法」が施行され、コンクリートや木材などについて分別解体と再資源化が義務付けられた。しかし、分別解体したものを選別して再生する過程にはきわめて多くの労力が必要となる。仮に建築資材などとしてリサイクルできたとしても、安く輸入される原材料には価格面で太刀打ちできないため、建築資材のリサイクルはいまだ現実性に乏しいのが現状だ。

解体後の廃材はどうなる？

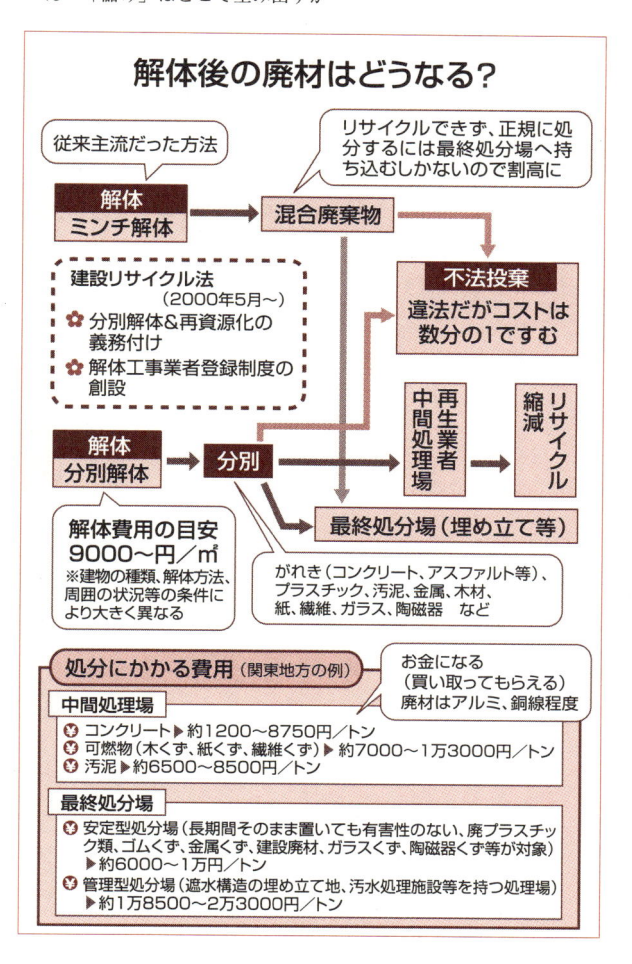

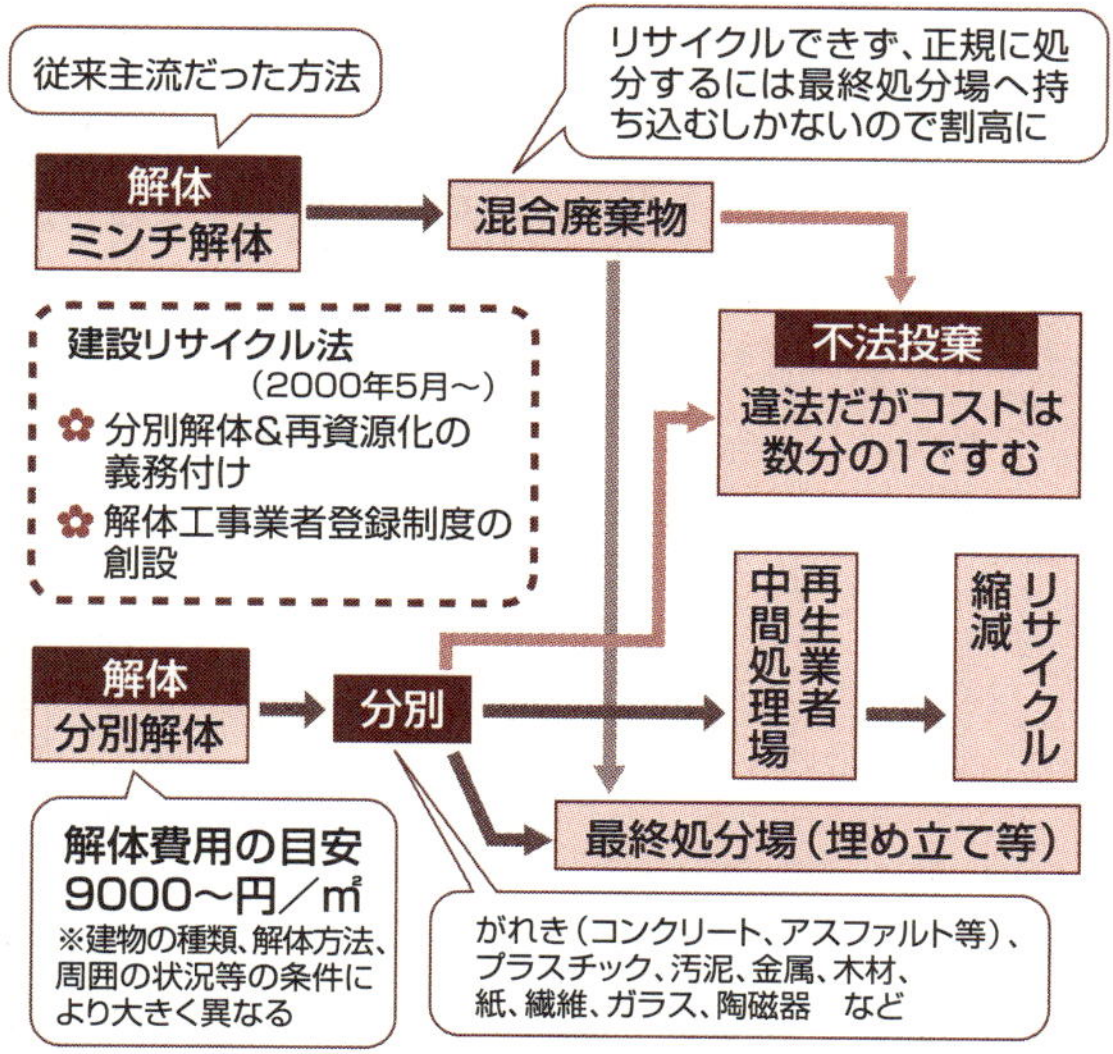

処分にかかる費用（関東地方の例）

お金になる（買い取ってもらえる）廃材はアルミ、銅線程度

中間処理場

- コンクリート▶約1200～8750円／トン
- 可燃物（木くず、紙くず、繊維くず）▶約7000～1万3000円／トン
- 汚泥▶約6500～8500円／トン

最終処分場

- 安定型処分場（長期間そのまま置いても有害性のない、廃プラスチック類、ゴムくず、金属くず、建設廃材、ガラスくず、陶磁器くず等が対象）▶約6000～1万円／トン
- 管理型処分場（遮水構造の埋め立て地、汚水処理施設等を持つ処理場）▶約1万8500～2万3000円／トン

◆アパート経営

利益を生み出すカラクリはこうなっている！

アパート経営のもっとも単純な形は、土地を持っているオーナーが自分でアパートを建て、**自分で管理**する方式。この場合の家賃は、オーナー個人の収入として所得税の課税対象となる。５棟または10室以上所有する場合は**「専従者給与制度」**を使って**親族に所得を分散**させ節税できるが、税制上、給与はあまり多額にはできない。

そこで、節税のためによく行なわれるのが、アパート経営のための**管理会社を作り、オーナーの家族が従業員となって給料をもらう**形。給料の額はかなり自由がきくため、所得を分散させることによる節税効果が大きい。また、アパートをオーナー個人でなく会社の名義にし、**家賃収入を法人の売上にする**ことでさらに節税する手もある。

面倒なことはすべて他人に任せたいという場合は、どこかの**管理会社にアパートを一括して貸す**方法もある。管理会社は家賃の１～２割程度を受け取る代わりに、入居者募集や物件の管理を行なう。最近は、空室でもオーナーに一定の家賃を保証するシステムを取るケースが多い。

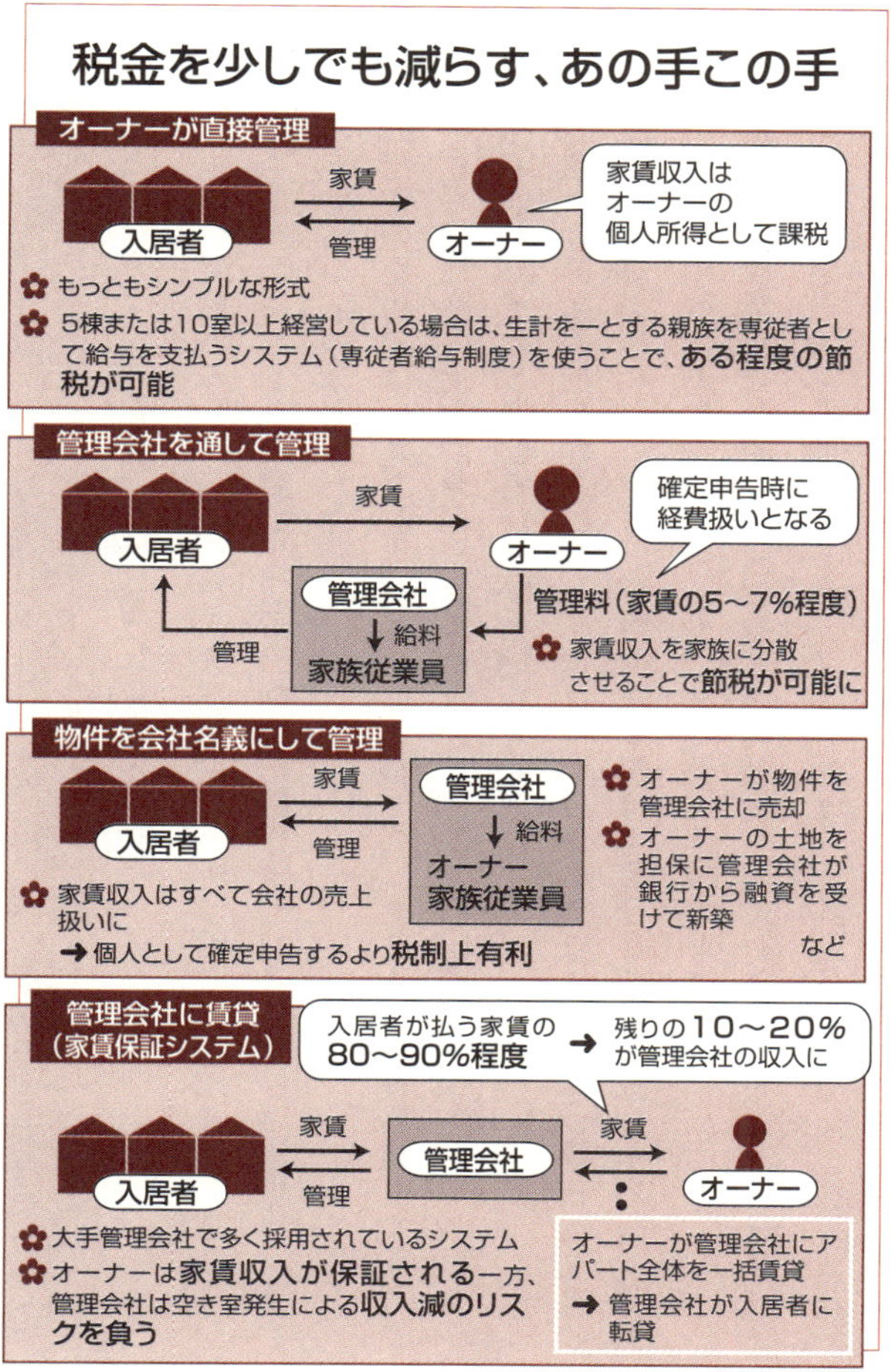
税金を少しでも減らす、あの手この手
オーナーが直接管理
家賃
管理
入居者
オーナー
家賃収入は
オーナーの
個人所得として課税
もっともシンプルな形式
5棟または10室以上経営している場合は、生計を一とする親族を専従者として給与を支払うシステム（専従者給与制度）を使うことで、ある程度の節税が可能
管理会社を通して管理
家賃
入居者
オーナー
確定申告時に
経費扱いとなる
管理会社
給料
家族従業員
管理
管理料（家賃の5〜7%程度）
家賃収入を家族に分散
させることで節税が可能に
物件を会社名義にして管理
家賃
管理
入居者
管理会社
給料
オーナー
家族従業員
オーナーが物件を
管理会社に売却
オーナーの土地を
担保に管理会社が
銀行から融資を受
けて新築
など
家賃収入はすべて会社の売上
扱いに
➜個人として確定申告するより税制上有利
管理会社に賃貸
（家賃保証システム）
入居者が払う家賃の
80〜90%程度
➜
残りの10〜20%
が管理会社の収入に
家賃
管理
入居者
管理会社
家賃
オーナー
大手管理会社で多く採用されているシステム
オーナーは家賃収入が保証される一方、
管理会社は空き室発生による収入減のリスクを負う
オーナーが管理会社にアパート全体を一括賃貸
➜管理会社が入居者に
転貸

◆コイン洗車場

200坪で、人件費をかけずに日銭を稼ぐ

マンションや団地暮らしのドライバーは、洗車の場所に困ることが多い。そこで、洗車場のニーズが生じる。**完全セルフで、かつ日銭が得られるコイン洗車場**は、空いた土地の有効活用法のひとつだ。

効率的経営のためには、スプレー式洗車機4機と門（ゲート）型洗車機1機が設置可能な200坪程度の土地が確保できるとよい。**比較的広い道路沿いで、マンションの多い住宅地、マイカー通勤者が多い土地**などが望ましい。

洗車設備の設置や洗剤の仕入れなどにはノウハウが必要なことから、専門の業者の助けを借りて開業するケースが多い。門型洗車機は1機500万円ほどするが、設備をリース契約にすれば初期投資も減らせ、税金面でも有利になる。

人手が必要な作業は、コインの回収や洗剤の補充、場内の清掃程度。オーナー1人で運営可能で、これなら人件費がかからない。また、建物を建てるわけではないので、土地を別の事業に転用したいときに比較的スムーズに撤収できるという利点もある。

コイン洗車場の収支例

（大きな通り沿いで300坪程度の場合）

月間売上	門型洗車機（2機） 900円（平均）×30台（／機／日）×2機×24日	129万6000円
	スプレー洗車機（6機） 600円（平均）×20台（／機／日）×6機×24日	172万8000円
	ジェットクリーナー（3機）、 マット洗浄機（1機） 100円（平均）×12台（／機／日）×4機×24日	11万5200円
	合計	**313万9200円**
経費	固定費（リース料）	45万円
	ランニングコスト （電気、水道、洗剤、燃料費）	40万円
	雑費	5万円
	合計	**90万円**

月間利益（売上－経費）　223万9200円

- ✿ セルフサービスなので、人手が必要なのは、洗剤の補充、コイン回収、清掃のみで、**人件費はほとんどかからない。**
- ✿ **門型洗車機1機＋スプレー式洗車機4機を200坪程度の土地に設置**するのが効率的
- ✿ 建物を建てるわけではないので、**転用がスムーズ**

◆立体駐車場

初期投資も安く、空き地活用に有利な条件ぞろい

空き地の活用法の代表格といえば、駐車場かマンション経営。一見、マンション経営のほうが儲かりそうだが、初期投資やランニングコストがかなりかかる。一方、駐車場なら、初期投資が安くすむうえ、形が中途半端な土地でも十分活用できる。

駐車場は、マンションに比べると**資産としての評価額が低いため、相続税対策**にもなる。また、**借家権・営業権などが基本的に発生しない**ため、必要なときには、すみやかに別の目的に土地を転用することも可能だ。

駐車場といえば、かつては更地に駐車区画の線を引いただけのものが一般的だったが、駐車場不足が深刻な市街地では**立体駐車場**の姿が目立つようになっている。立体駐車場は収容効率がいいだけでなく、機械部分の**減価償却期間が事務所やマンション（約60年）などと比べて短く（15年）、税金面でも有利**となっている。

空きスペースの時間貸しを月極と組み合わせれば、経営効率はさらに上がる。立地条件がよければ、投資金額に対して15～20％の利まわりで稼ぐのも不可能ではない。

立体駐車場経営のメリット

- 立体化することで、平面駐車場の数倍の高収益が可能
- 減価償却期間が一般の建築物に比べて短い
- 月極利用者の駐車場所を特定しない方式なら、空きスペースを時間貸しすることも可能

ビル、マンション
▶約60〜65年
立体駐車場
▶建物部分：35年
▶機械部分：15年

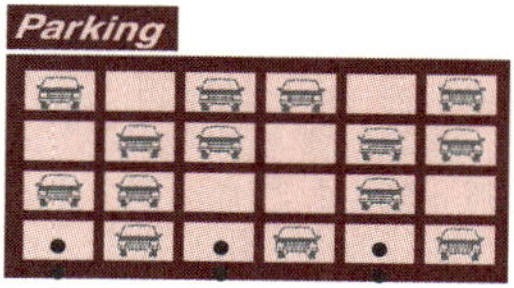

空いたスペースを昼間だけ時間貸しすれば、さらに収益アップ！

立体駐車場の種類と特徴

	タワー式	2段・多段式	自走式
○	面積あたりの収益率が高い	住宅地にも設置可能	クルマの出し入れが比較的短時間ですむ
△	容積率や斜線制限など法的な規制が多く、住宅地には不適。機械操作の係員が必要。	多段式の場合、クルマの出し入れに時間がかかる	スロープに大きな面積を取られるので、収益率を上げるには広い敷地が必要
建築コスト	約200万円〜／台	約50万円〜／台	約45万円〜／台

◆中古ゴルフ用品販売

粗利率アップのカギは「直接買い取り」

ゴルフクラブというのは１本数万円もするうえ、実際にしばらく使ってみないと自分に合うかどうかわからない。純粋に趣味としているならまだしも、仕事がらみでたまにやる程度なら、できるだけ出費を抑えたいところだろう。

そこで重宝するのが、**ゴルフ用品のリサイクルショップ**。不要になったクラブを買い取ってもらえ、中古クラブが安く買える。新モデルもすぐに中古で出まわるし、買ったあと、一定期間内なら販売価格の８～９割で買い戻してくれるお店もある。いろいろなクラブを試して自分に合った１本を見つけたいという人にはぴったりだ。

中古販売店は、メーカーや卸業者からではなく、**お客から直接買い取ることで大きな粗利を確保**している。経営が軌道に乗るかどうかは、人気モデルをどれだけ豊富に確保できるかにかかっている。その点で有利なのは、ネームバリューのあるフランチャイズ店。初めて買い取りを依頼するお客にも安心感を持ってもらいやすく、チェーン内の店同士で在庫を融通できるという強みもある。

中古ゴルフ用品販売店の収支例

（店舗面積8坪のFC店の例）

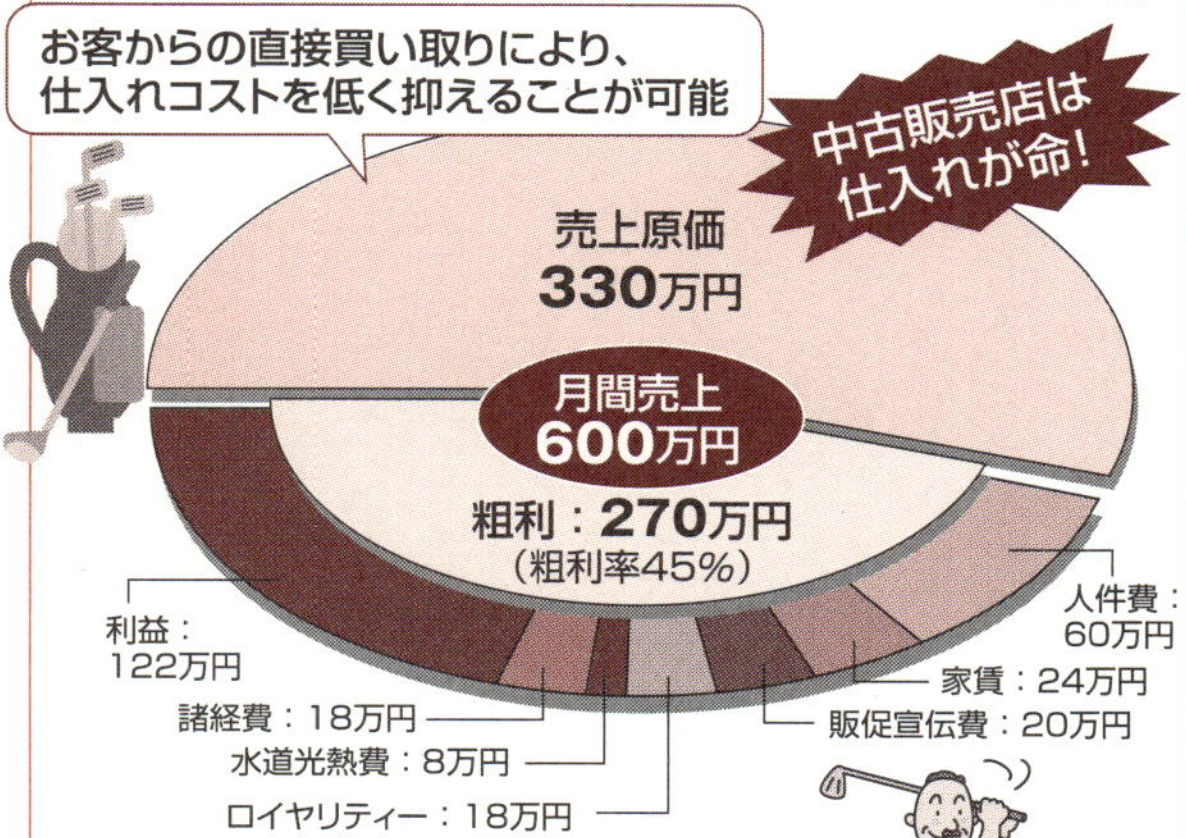

FC加盟のメリット

◎チェーンのネームバリュー効果で、初めてのお客にも安心感を与えられ、新規顧客を獲得しやすい

◎FCが提供する査定システムを利用することで、経験が浅くても適切な価格で買い取り&販売が可能

◎お客が希望する品の在庫がなくても、FC全体の在庫情報を検索し、他店から取り寄せることができる

◎サラリーマン層が主要ターゲットなので、ビジネス街への出店も有力な選択肢

◎販売後一定期間内であれば販売価格の8～9割程度で買い戻すサービスを実施している店も

国内のゴルフ人口

年に1回以上コースをまわった人 ▶ 1040万人
年間平均費用（用具等購入費）▶ 5万5500円

（社会経済生産性本部『レジャー白書 2003』）

◆洋服リフォーム

初期投資がかからず利益も出しやすい

ショッピングセンターなどに店をかまえる**洋服のリフォーム店**が好評だ。使い捨て文化への反省なのか、はたまた不景気だからなのか、服のサイズを調整したいとき、ほつれや傷を直したいときなどに大いに重宝されている。

商売として見ると、**裁縫の技術さえあれば初期投資や仕入れにそれほど費用がかからない**とあって、開業しやすいといえる。ただし、裾直しや丈直しだけではそう高い料金を取るわけにもいかず、新規に参入して生き残っていくのはむずかしいだろう。

そこで、「自分の着たウェディングドレスをパーティードレスにして娘に着せたい」「着なくなった和服を洋服に変えたい」といった**「リメイク需要」**を掘り起こして対応することができれば、差別化と単価アップが期待できる。

また、**靴や鞄の修理サービスを兼ねたり、クリーニング店と提携**するなどして、間口を広げる工夫をしている店舗も少なくない。フランチャイズに加盟すれば、高度な技術が必要なリメイクを本部の工場に任せられるというメリットもある。

洋服リフォーム店の収支例

（店舗面積10坪の店の例）

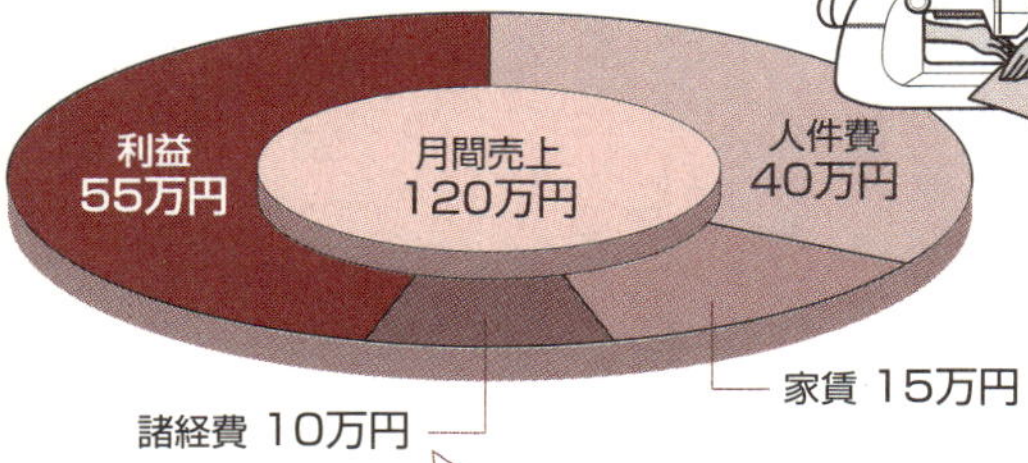

「技術」を売る商売なので、仕入れや在庫管理のコストはほとんどかからない

料金例

スラックスの裾直し	800円〜
スカートの丈直し	2000円〜
スカートのウエスト直し	2500円〜
上着の肩幅詰め	3500円〜
上着の肩パッド付け替え	2500円〜
上着の袖丈直し	2500円〜
ファスナー付け替え	1800円〜

☺必要な設備はミシン、作業台、アイロン、レジ程度
☺店舗スペースはそれほど広くなくてOK
☺内装はシンプルでOK

洋服リフォーム店経営の特徴

- 裁縫の技術があれば、比較的少ない資金で開業が可能
- 洋服の「直し」だけでなく「リメイク」もできる技術があれば客単価がアップ
  - ・ワンピースをスカートに
  - ・和服を洋服に
  - ・ネクタイ（数本）をベストに
  - ・洋服に介護用機能を追加 など
- 靴や鞄の修理サービスと兼業すると相乗効果が期待できる
- フランチャイズに加盟すれば、高度な技術を要する直しを本部の工場に依頼することも可能（ロイヤリティーは売上の10％程度）
- 無店舗で出張専門にしたり、クリーニング店と提携する手も

商売の「裏」がわかるコラム❷

最近注目の「ＦＣ支援ビジネス」とは？

さまざまな業種でＦＣ（フランチャイズ）方式の会社が急成長しているなか、「ＦＣ支援ビジネス」が注目を集めている。

これは、ＦＣ展開を目指すベンチャー企業に投資し、さまざまなサポートをするというビジネスのこと。

支援内容は、資金調達、不動産の紹介、加盟店の募集代行、加盟店への経営指導など、多岐にわたる。銀行、商社、別業種のＦＣチェーンなど、複数の企業が手を組んで新たなＦＣの立ち上げを支援するケースもある。

立ち上げたＦＣの経営が軌道に乗れば、各店舗からの加盟金とロイヤリティー、株式公開後のキャピタルゲインなどが、支援した側に収益として入ってくる。

いわば、畑を耕し種をまいて、作物を育てた後に収穫するようなもので、支援先が大きく成長すればするほど、自分たちの収益もどんどん増えるというわけだ。

当然、支援するのは将来有望なＦＣブランド中心になるが、最近では、新興企業だけでなく、不振にあえぐ中堅企業と提携して事業の立て直しを手がけるケースも増えている。

3章

◆◆◆◆◆◆

こんなに利益の出る商売があった！

原価率が低いからこんなに儲かる

◆インターネット広告

ネットビジネス、個人でどこまで儲かる?

インターネット広告には、ホームページ上にロゴマークなどを掲載する**「バナー広告」**、宣伝文やリンクを掲載する**「テキスト広告」**、メールマガジンの一部に宣伝文を挿入する**「メール広告」**などがある。

ユーザーがインターネット慣れしたせいか、バナー広告をクリックする確率は低くなってきているという。それでも、たとえ実際にクリックされなくても、**広告がユーザーの目にくり返し触れることで商品の認知度が高まるという広告効果**が期待できる。

いずれの手法でも、確実にターゲットをしぼり込むことが広告効果を得る基本。ホームページへの**アクセス記録を解析することでユーザー層の高度な分析**ができるのもネット広告の特徴だ。

巨大な企業サイトだけでなく、個人サイトでも訪問者が多ければ有力な出稿対象となる。サイト運営者はクリック数や閲覧数に応じた収入を得ることができ、個人で気軽にできるネットビジネスとして注目されている。

インターネット広告の種類

Click!

バナー広告　サイトに貼られたバナーをクリックすると、その商品やサービスの情報が載ったページへ移動

広告効果▼
- バナークリックを通じての直接的な売上（商品購入、会員登録など）のほか、バナーが目に入ることでブランドイメージが浸透する「インプレッション効果」も期待できる
- ユーザーのアクセス履歴をサーバー側で分析して、表示するバナーを切り替えることも可能

クリック率は年々低下の傾向（0.5〜1％程度）

メール広告　メールマガジンの一部に宣伝文とリンクを掲載、あるいはその商品やサービス単独のダイレクトメールを送信

広告効果▼
- 送信後の短期間に反応が集中する傾向があり、即効性を期待できる
- 携帯電話ユーザーにも送信可能なので対象範囲が広い

やり方によっては「迷惑メール」として嫌われ、逆効果に……

テキスト広告　サイトの一部に宣伝文とリンクを掲載

広告効果▼
- ある程度の長さの文章を載せられるので、バナー広告よりもくわしい情報を伝達可能

注目情報

広告契約の種類

インプレッション型

広告が表示された回数に応じて広告料が支払われる

クリック保証型

決められたクリック数に達するまで広告を掲載、あるいはクリック回数に応じて広告料が支払われる
例）バナー広告クリック1回につき10〜50円

クリック数アップの鉄則
サイトの内容に合った広告を載せること

売上報酬型

クリックを経由して売上に直接結びついた場合のみ広告料が支払われる
例）人材派遣スタッフ登録1件につき1000円　など

◆ペット葬儀

たとえば、愛犬の葬儀にいくらかかる?

かわいがっていたペットとも、いつか永遠の別れがやってくる。住宅事情の変化で、遺骸を庭先に埋めるのもままならない昨今、自治体の清掃課などに焼却処分を依頼するのが一般的かもしれない。そこで注目されているのが**ペット葬祭業**だ。専用の火葬場できちんと火葬し、遺骨は供養塔に埋葬したり、納骨堂に安置したりする。飼い主は墓参りもできる。墓地や墓石を用意している霊園もある。核家族化、高齢化が進む現代社会では、飼い主とペットとの関係はますます親密になっていく。

とはいえ、火葬場や墓地など特殊な施設が必要なため、別業種からの新規参入はむずかしい。そこで、「**バーチャル墓地**」なるものもお目見えしている。これは、インターネット上の墓地にペットの墓石を建て、いつでも好きなときに墓参りができるようにしたもの。これなら施設はいらないし、熱帯魚や昆虫など、従来の業者では扱いに困るようなペットでも供養できる利点もある。

ペット産業には、まだまだ入り込む余地が残っていそうだ。

ペット葬儀の費用の一例

民間のペット葬儀社・ペット霊園

合同火葬

小型　1万～2万円前後
中型　1万5000～2万5000円前後
大型　2万5000～3万5000円前後

・ほかのペットといっしょに火葬される。
・遺骨を持ち帰ることはできない。

個別火葬

小型　2万～3万円前後
中型　2万5000～4万円前後
大型　4万～5万円前後

・個別に火葬され、収骨できる。
・遺骨を持ち帰ったり、お墓や納骨堂に納めることができる。

立会火葬

小型　3万5000～4万5000円前後
中型　4万5000～5万円前後
大型　5万～6万円前後

・火葬場に出向き、お骨を拾って持ち帰ることができる。

自治体

2000～3000円前後（自治体によって料金が異なる）

その他

自宅葬　1万～3万円前後

・移動火葬車に来てもらって火葬・収骨する。

インターネットペット霊園（バーチャルペット霊園）

無料～数千円

・ネット上のペット霊園。供養もしてくれる。

※納骨などには別途料金がかかる。

◆屋台

自由にならない営業場所、みんなどうやって確保している?

ラーメンやおでんの屋台は、一見あちこちに自由気ままに店を出しているようにも思えるが、真っ当に商売を続けていくためには、**保健所の営業許可や警察署の道路使用許可が必要となる。**地域によって事情は異なるが、都市部では、衛生面やトイレの問題、交通事情などによって、屋台をとりまく環境は厳しくなる一方だ。一般に、**道路使用許可は名義変更ができず、新規の許可も下りにくい。**

屋台営業は家賃等の固定費が少なくてすむのが魅力だが、天候に大きく左右されたり、席数が少ないため、案外効率が悪い。そのため、値段は一般の店舗と変わらないか、やや高めに設定するくらいでないと、なかなか採算が合わない。

また、屋台営業では**営業場所の確保が死活問題**となる。最近では、屋台や営業場所の手配などを企業として行なうフランチャイズ制の屋台も増えている。夜間に利用されない駐車場や空き地などを本部が一括して借り、各屋台に提供することで、安定した営業ができるようなシステムを作り上げている。

屋台の出店にはいくらかかる?

（福岡市の例）

保健所の営業許可の更新手数料　4年ごとに5600円

警察署の道路使用許可の更新手数料　2カ月ごとに2000円

公園使用料　月額8000円（水道料金は市が負担）

屋台の名義変更は原則不可
（家族への譲渡は個別に検討）
↓
屋台数は減少の傾向に

屋台の値段は？

リヤカータイプ	50万〜80万円程度
自動車タイプ	車両購入費（新車の軽トラックで70万円程度） +改造費（60万〜80万円程度）

「常連客の獲得」が屋台経営の鉄則

- 出店場所をコロコロと変えない
- 営業時間をきちんと決める
- お客の顔を覚え、
  屋台ならではのコミュニケーションで楽しませる

道路使用許可が下りにくい地域（東京など）では、
駐車場や空き地を借りて営業するケースも多い

◆強制送還者フォロー

不法滞在者が買って帰る片道航空券のお値段は？

日本に密入国後、里心がついたり、運よく検挙されずに仕事が一段落したりした不法滞在者が帰国を希望する場合、自ら**入国管理局に出頭**することになる。

強制送還の旅費はもちろん自前だ。慣れない異国のお役所相手に申請書を書き、面接に答えて帰国日を決め、航空券を手配する――これはなかなか大変な作業である。

しかし、そこをフォローしてくれる旅行代理店が、ちゃんと存在する。スタッフには外国語が堪能な国際色豊かな人材がそろっていて、言葉の心配はまずない。

メインの仕事は**航空券の販売**だが、さらに、「申請書にウソを書いても必ずバレて、あとで面倒になる」「もうひと稼ぎなどと考えてドタキャンすると、次の申請のときに苦労する」などと、申請手続きについても**具体的かつ親身な助言**をする。

不法滞在者は年々増加し、この商売の需要も増えるはずだったが、そうコトはうまく運ばない。かつては強制送還されても1年で戻って来れたが、数年前に法律が変わり、現在では**5年間は入国禁止**。その影響で、入管への出頭者は半減したという。

不法滞在者の帰国（強制送還）用 片道航空券販売の流れ

入国管理局での手続き

第1次出頭

提出した申告書をもとに面接が行なわれ、帰国日が決定

第2次出頭

間違いなく帰国することを証明するため、チケットを持参して出頭

⇩

帰国

旅行会社

出頭しに来た不法滞在者を入国管理局の門前で勧誘

⇩

・手続きの流れを説明
・申告書の記入方法を指導
・チケット代の前金を受け取り（**1万円程度**）

帰国日が決まったらチケットを手配

⇩

チケットが無事に取れたことを連絡し、相手の帰国意思を再確認

⇩

チケットの引き渡し、代金残額の受け取り

片道チケットの料金例

（成田→ソウルの例）

約2万8000〜4万2000円
（原価：約2万2000〜3万9000円）
→1件あたり**約3000〜6000円の儲け**

・原価が高くなる週末発のチケットにはあまりマージンを上乗せできず、月〜水曜発に比べて利益率は低くなる

・片道チケットは流通量が少ないので、全体として往復チケットより割高

日本国内における不法滞在者数の推移

（法務省による推計）

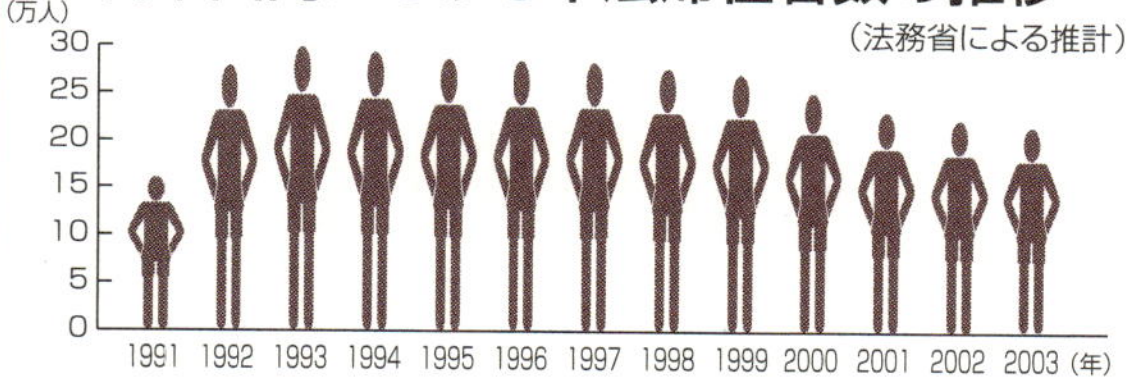

◆オンラインショップ

無店舗で月に数百万円を可能にするには……

自宅に居ながらネット上で買い物ができる**オンラインショップ**。脱サラ・脱ＯＬして自分の店を持ちたいけれど、開業資金や諸々の準備のことを考えるとなかなか実現できそうにない……という人にとっても魅力的な商売だ。

サイトの作成や、出店に必要な手続きは、専用のソフトウェアや、**「ネットモール」**と呼ばれる商店街を利用すれば、専門的な知識に不安があってもなんとかなる。あとは、居並ぶ競合店のなかで自分の店をいかにアピールするかだ。

ファッション関係の店の場合、最新の流行や新商品の情報には常に目を光らせ、マメにサイトを更新することが大事。安さや個性で勝負するなら、自ら海外へ買い付けに行き、普通の観光客では見つけられないアイテムを探し出すのもひとつの手だ。

販売面での工夫として、**ポイント制や割引システムを導入し、リピーター増加**に努めている店もある。こうした努力を積み重ねて固定客を確保すれば、**無店舗で月に数百万円の売上**も夢ではない。

ネットモールでどれだけ儲かる？

（洋服とアクセサリーを扱うオンラインショップの例）

	販売価格	仕入れ価格
キャミソール	1800円	400円
タンクトップ	2900円	900円
スカート	3500円	1100円
デニムパンツ	6900円	2500円
ターコイズペンダント	2500円	350円
シルバーネックレス	3900円	800円

アクセサリー類の原価率は
10～25％程度。
見た目や質感を考慮したうえで値付けするので、アイテムによる原価率の幅は比較的大きい

洋服の原価率は
30％程度。
原価の安い商品は原価率が低めで、デニム製品の原価率はやや高め

オンラインショップのメリット、デメリット

- ○ 店舗家賃等の固定経費が不要（サーバーのレンタル料は月額5000円程度）
- ○ 店番の店員も不要なので、人件費が最小限ですむ
- ○ 営業時間が決まっていない（ネット上で24時間営業）ので、あまり時間にしばられずにすむ
- ○ お客の都合のいい時間に、じっくりと商品を選んでもらえる
- ○ お客の居住地域を問わず販売可能（場合によっては海外でもOK）

「店に入るとすぐに店員が声をかけてくるのがわずらわしい……」
「自分の好みにあったアイテムを売っているお店が近くにない……」
という悩みを持つお客は意外と多い

- △ お客の生の声が伝わってきにくい
- △ 発送する商品そのものが店のイメージ、信用を大きく左右するので、包装や商品管理（キズ、汚れ、ほつれ等）には細心の注意が必要

顔の見えない相手とのやりとりなので、メールの書き方にも細かい気配りが必要

◆エアコンクリーニング

月収100万円!? 粗利率の高いニュービジネス

２００１年４月より**家電リサイクル法**が施行され、エアコンの処分がすべて有料になったことで、消費者が買い替えに対して慎重になる一方で、エアコン内部がアレルギーの原因となる**カビやダニの温床**になるという問題が盛んにいわれるようになった。買い替えはしないけれど、アレルギーの不安は取り除きたい――そんなニーズに応えるサービスとして注目されているのが、**「エアコンクリーニング業」**だ。

この仕事は、**洗浄ツールをそろえる程度の投資で始めることができ**、**洗浄技術も短期間の研修で取得可能**なので、新規開業のハードルは比較的低い。むしろ大変なのは、開業したあと、いかに顧客を獲得するかという部分だ。地域密着型の仕事なので、チラシを配り、クチコミで固定客を増やしていくなど、地道な方法をとるしかない。

しかし、粘り強く営業活動を続けて顧客を増やせば、**月に40万～50万円の売上**が見込めるという。技術をみがいて、一般家庭だけでなく**事務所や店舗の業務用エアコンも扱えるようになると、月収100万円**もけっして無理な目標ではない。

エアコンクリーニングの手順と料金例

クリーニング手順（家庭用）

▼周囲の養生
・万一水が飛び散っても大丈夫なように、防水シート等を敷く

▼分解、マスキング
・カバーをはずす
・電気回路部分のマスキング
・エアコン全体を防水シートでカバー

▼洗浄
フィルターだけでなく、カビの発生源である内部の機械部分も洗浄するのがプロのワザ

▼水洗い

▼乾燥

▼片付け

所要時間
エアコン1台:約1時間30分
2台:約2時間30分

料金		
	家庭用壁掛けタイプ	8000円～
	業務用天井埋め込みタイプ	2万8000円～

・材料費の大半は洗剤（**原価率10%以下**）
・専業なら少ない資金で開業可能だが、電気店との兼業やハウスクリーニング業の一環として営業するのも効果的

市場の将来性は十分？

・エアコンの年間販売台数:約700万台
・「一家に1台」から**「1部屋に1台」**の時代に
・クリーニングの目安は3年に1度だが、家電リサイクル法の施行でエアコンの使用年数が延びることが予測される

↓

クリーニング需要の増加

◆観葉植物レンタル

単価は低いが、継続率の高さが強み

最近は、オフィスや個人宅でも、インテリアにグリーンをあしらうのがあたりまえの光景となっている。これは室内の雰囲気作りだけでなく、その「癒し効果」の面も見直されているためで、観葉植物市場は年々、成長し続けているという。

しかし、みずみずしい緑を常にキープするのはなかなか大変だ。そのわずらわしさから解放してくれるのが、この**観葉植物レンタル業**なのである。

レンタル料は、植物の種類や大きさ（高さ）で変わってくる。1鉢の単価は低いものの、ホテルやオフィスなどでは複数個の契約になることが多いし、一般に短期間での解約は少なく、**いったん契約すれば、あとはそのまま長期にわたり利用し続けてもらえる場合が多い**というのも、この商売の強みだ。

契約数の変動が少ないので、収入は安定している。契約中の仕事は、定期的にほかの鉢と交換し、場合によっては水やりなどのメンテナンスをする程度。オーナー1人だけでやりくりする店でも、月に**100万円以上**の売上が可能だという。

観葉植物レンタル業の収支例

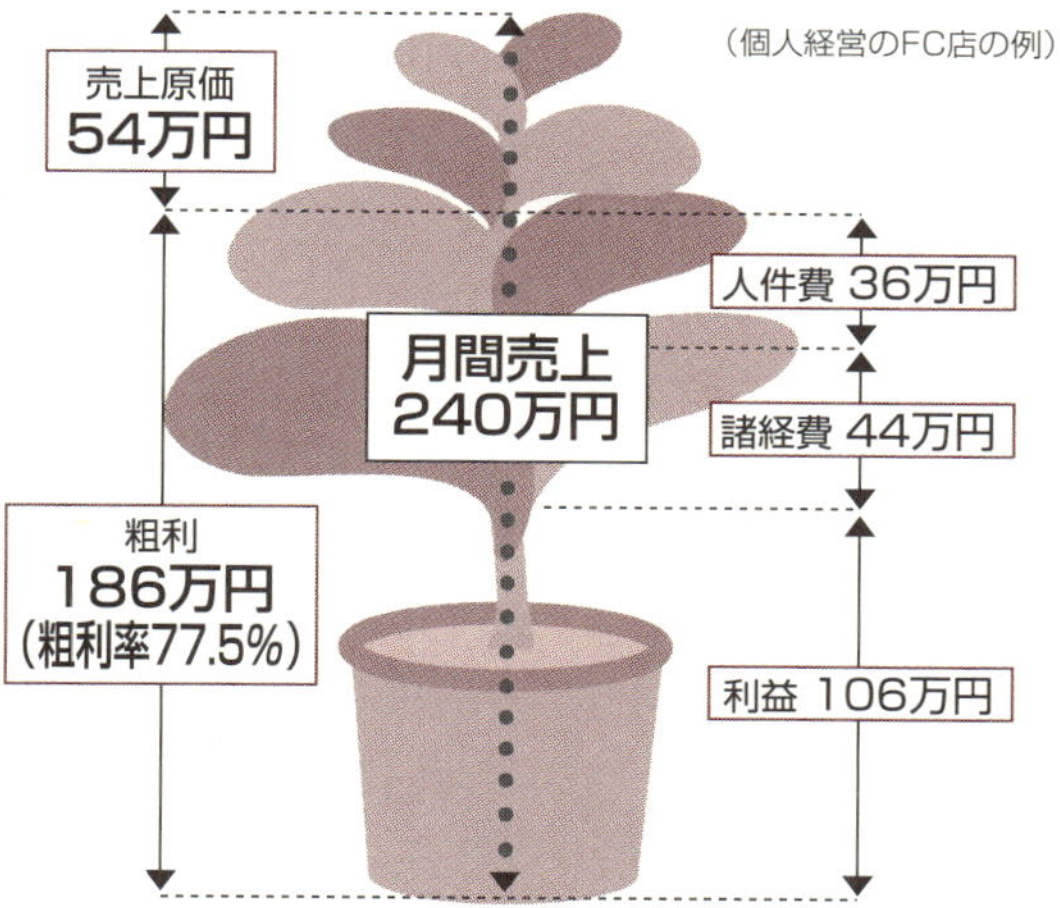

◆人気商品例と特徴◆

ポトス…横に広がらず、狭い場所でも設置しやすい
コンシンネ…枯れにくく、手入れが楽
パキラ…耐陰性があり、日陰でも設置OK
ユッカ…寒さに比較的強い
アレカヤシ…南国的な雰囲気を演出
シュロチク…和室に合いやすい

観葉植物レンタル業の特徴

- 原価率が低く、高い利益率が見込める
- 継続率が高く、年間を通して需要が安定している
- 1件あたりの単価が安いので、売上の変動リスクが少ない

レンタル料金例

◆1カ月に1回、定期的に交換するシステム
◆ほかに、空気清浄機を内蔵した人工観葉植物などもある

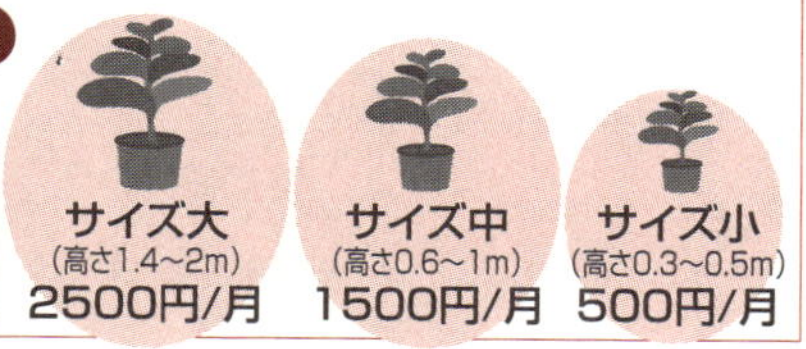

◆新聞勧誘員

月に100万稼ぐ人も! 完全歩合制のプロ集団

新聞勧誘員の粘り強さと景品攻勢に抗しきれず、「じゃあ3カ月だけ」と講読契約してしまった――そんな経験をした人はけっこういるだろう。こうした勧誘員の多くは、**「拡張団」**という組織に所属する、その道専門のプロだ。

拡張団の実態は謎に包まれている部分が少なくないが、一般的には、各新聞社が抱える子会社のようなものと考えてよい。各販売店の従業員は、日々の配達・集金業務に追われ、新規契約の開拓まではなかなか手がまわらない。そこで、新聞社が各地に拡張団を派遣するというわけだ。拡張員が取ってきた契約書は、購読期間に応じた所定の額で販売店が買い取る。つまり、**報酬は完全歩合制**ということになる。

その地域でひと通りの勧誘が終わると、拡張団は別の地域に移動していく。完全歩合制のうえ、契約成立後のクレームやトラブルの処理は販売店任せということで、いきおい、勧誘手段は強引なものになりやすい。こうして、**契約1件につき数千円という報酬を積み重ね、月に100万円**も稼ぐスゴ腕の勧誘員もいるという。

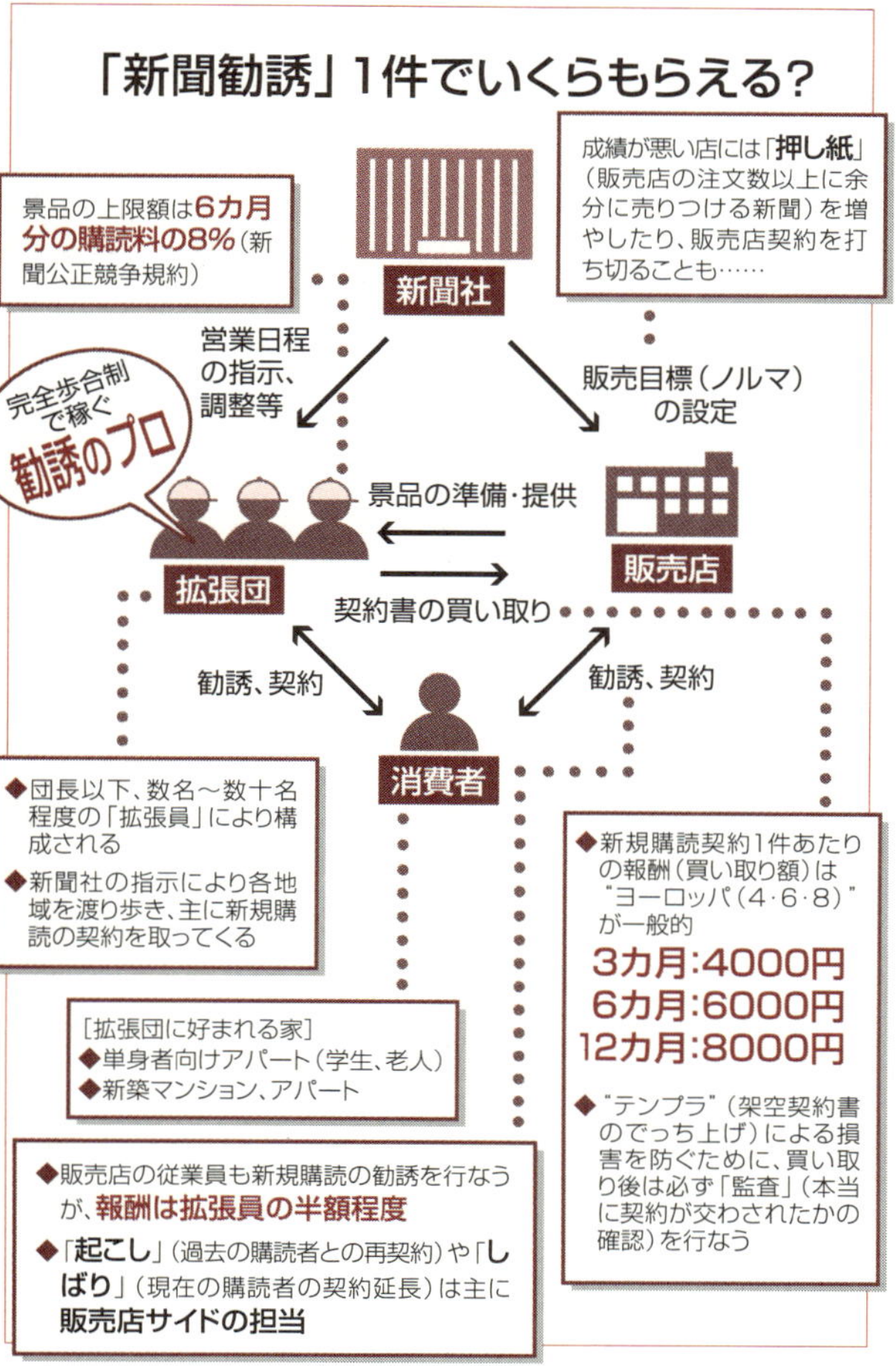
「新聞勧誘」1件でいくらもらえる？
景品の上限額は6カ月分の購読料の8%（新聞公正競争規約）
新聞社
成績が悪い店には「押し紙」（販売店の注文数以上に余分に売りつける新聞）を増やしたり、販売店契約を打ち切ることも……
営業日程の指示、調整等
販売目標（ノルマ）の設定
完全歩合制で稼ぐ 勧誘のプロ
景品の準備・提供
拡張団
販売店
契約書の買い取り
勧誘、契約
勧誘、契約
消費者
◆団長以下、数名〜数十名程度の「拡張員」により構成される
◆新聞社の指示により各地域を渡り歩き、主に新規購読の契約を取ってくる
◆新規購読契約1件あたりの報酬（買い取り額）は“ヨーロッパ（4・6・8）”が一般的
3カ月：4000円
6カ月：6000円
12カ月：8000円
［拡張団に好まれる家］
◆単身者向けアパート（学生、老人）
◆新築マンション、アパート
◆“テンプラ”（架空契約書のでっち上げ）による損害を防ぐために、買い取り後は必ず「監査」（本当に契約が交わされたかの確認）を行なう
◆販売店の従業員も新規購読の勧誘を行なうが、報酬は拡張員の半額程度
◆「起こし」（過去の購読者との再契約）や「しばり」（現在の購読者の契約延長）は主に販売店サイドの担当

◆場所探しビジネス

外まわりの仕事の片手間に小遣い稼ぎ!

閉店したまま放置されている店舗や、雑草が生え放題の空き地などを見かけ、「こんなに人通りが多いのだから、自動販売機のひとつでも置いておけばいいのに」と思ったことはないだろうか。そんな、「もっと活用できそうな場所」を見つけて、しかるべき業者に報告するのが、この**「場所探しビジネス」**だ。

地主などとの具体的な交渉は業者が行なうので、情報を提供すればそれで仕事は終了。地主と業者のあいだで契約が成立すれば、情報提供料として報酬が入ってくる。

この仕事は、サイドビジネスでやるのに向いているといえる。営業で外まわりをするついでにちょっと周囲に気をつけたり、出入りする工場や倉庫に自販機設置が可能かどうかを調べたりといった具合に、**別の仕事のついでに情報収集**すると効率的だ。

場所の様子を文字で記録しただけでは、自販機やコインロッカーの設置に適した場所かどうか判断しにくいので、デジカメを持ち歩いて現場の写真を撮るなど、正確で具体的な情報を提供する工夫も大切だ。

場所探しビジネスのしくみ

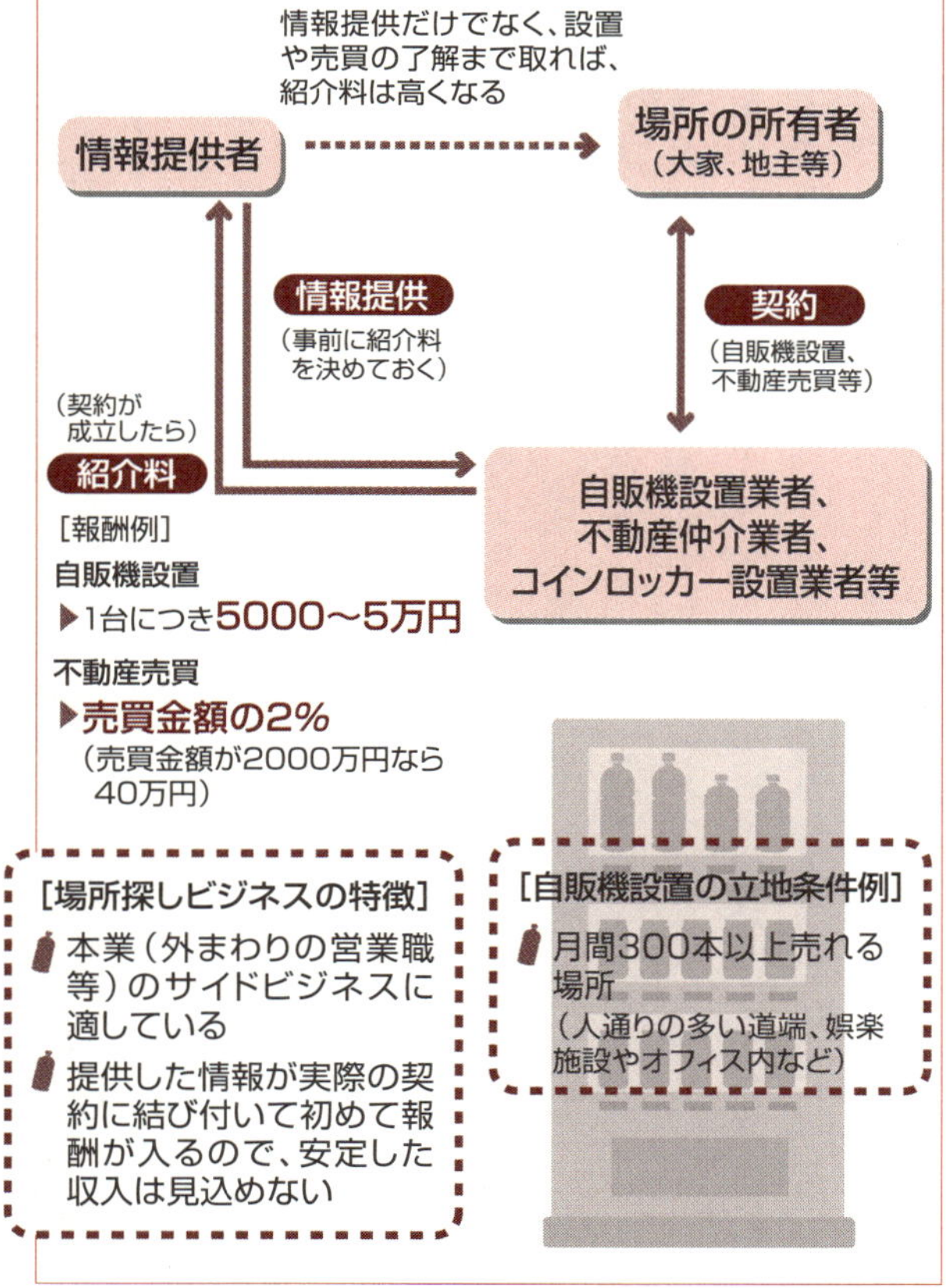
情報提供だけでなく、設置
や売買の了解まで取れば、
紹介料は高くなる
情報提供者
場所の所有者
（大家、地主等）
情報提供
（事前に紹介料
を決めておく）
契約
（自販機設置、
不動産売買等）
（契約が
成立したら）
紹介料
自販機設置業者、
不動産仲介業者、
コインロッカー設置業者等
［報酬例］
自販機設置
▶1台につき5000～5万円
不動産売買
▶売買金額の2％
（売買金額が2000万円なら
40万円）
［場所探しビジネスの特徴］
本業（外まわりの営業職
等）のサイドビジネスに
適している
提供した情報が実際の契
約に結び付いて初めて報
酬が入るので、安定した
収入は見込めない
［自販機設置の立地条件例］
月間300本以上売れる
場所
（人通りの多い道端、娯楽
施設やオフィス内など）

◆秘書代行

月1万5000円で電話応対を代行

電話番のアルバイトを雇うと月10万円くらいはかかるものだが、小規模な会社にとっては無視できない出費だ。かといって、留守番電話や携帯電話で対応するのにも限界があり、営業時間中に電話がつながらないとなれば、会社の信用にもかかわってくる。その点、**秘書代行サービス**なら、自分の会社名で対応してくれるし、コストも安くすむ。勤め先に内緒で副業を始めたサラリーマンなどの利用も多いという。

秘書代行でもっとも重要なのが、お客に直接対応するオペレーターの質。電話の相手に好印象を与えること、伝言内容にミスがないことはもちろん、複数のユーザーを同時に受け持つわけだから、情報処理能力に長けていることも求められる。

そこで、担当する**各ユーザーのデータをパソコンで一括管理し、電話やメールなどと連動**させたシステムを開発した業者もある。こうしたシステムの開発には相当のコストがかかるものの、その結果、オペレーター1人あたりの担当ユーザー数が大幅に増え、利益率アップにつながっているようだ。

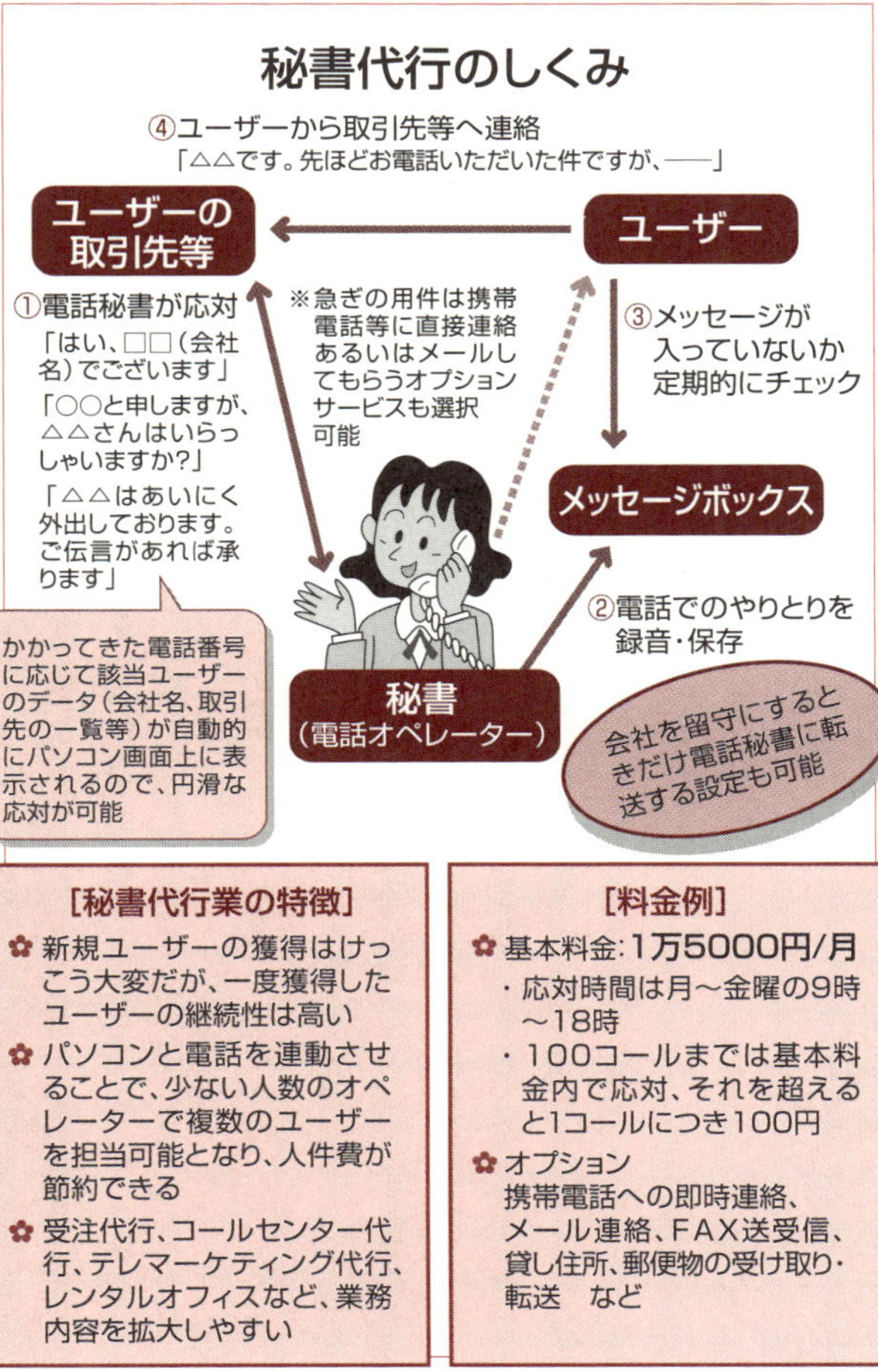
秘書代行のしくみ
④ユーザーから取引先等へ連絡
「△△です。先ほどお電話いただいた件ですが、――」
ユーザーの取引先等
ユーザー
①電話秘書が応対
「はい、□□（会社名）でございます」

「○○と申しますが、△△さんはいらっしゃいますか？」

「△△はあいにく外出しております。ご伝言があれば承ります」
※急ぎの用件は携帯電話等に直接連絡あるいはメールしてもらうオプションサービスも選択可能
③メッセージが入っていないか定期的にチェック
メッセージボックス
②電話でのやりとりを録音・保存
かかってきた電話番号に応じて該当ユーザーのデータ（会社名、取引先の一覧等）が自動的にパソコン画面上に表示されるので、円滑な応対が可能
秘書
（電話オペレーター）
会社を留守にするときだけ電話秘書に転送する設定も可能

［秘書代行業の特徴］

- 新規ユーザーの獲得はけっこう大変だが、一度獲得したユーザーの継続性は高い
- パソコンと電話を連動させることで、少ない人数のオペレーターで複数のユーザーを担当可能となり、人件費が節約できる
- 受注代行、コールセンター代行、テレマーケティング代行、レンタルオフィスなど、業務内容を拡大しやすい

［料金例］

- 基本料金：1万5000円／月
  - ・応対時間は月～金曜の9時～18時
  - ・100コールまでは基本料金内で応対、それを超えると1コールにつき100円
- オプション
  携帯電話への即時連絡、メール連絡、FAX送受信、貸し住所、郵便物の受け取り・転送　など

◆人力車

1時間9000円でどこまで稼げる？

浅草や京都などの観光地では、人力車での名所・旧跡めぐりが人気だ。車の引き手（車夫）はさぞかし重労働なのではと思えるが、力が必要なのは走り出す瞬間だけで、体力的にはそれほどキツイ仕事ではないという。なかには女性の引き手もいる。

人力車は、タクシーのように「流し」でお客を拾うことはなく、決まった乗り場で待機し、お客を乗せる。ただし、黙って待っていてはお客はなかなか獲得できない。そこで、付近の通行人に積極的に声をかけ、勧誘する必要がある。

もちろん、無下に断られることも珍しくないが、いちいち落ち込んでいてはこの仕事は続けられない。人力車に興味は示すものの「目立つから恥ずかしい」「自分は重いから」などと尻込みするお客を、巧みなセールストークでその気にさせる。相手の反応を見て脈ありと思えば、より長時間のコースをすすめるしたたかさも必要だ。

収入は時給制が基本で、売上成績上位者に賞金が出るシステムのところもある。会話の訓練にもなるということで、俳優や芸人などの仕事と兼業している人もいる。

人力車の営業システム

乗り場

・お客は積極的に勧誘
・ゲットしやすいお客のタイプは「人力車に興味を示す人」「あきらかに観光で来ている人」「1人よりグループ」
・外国人観光客も多いので、外国語（英語、韓国語等）が話せると有利！

［料金例］

	1人	2人
10分	2000円	3000円
30分	5000円	8000円
60分	9000円	1万5000円
80分		2万円

・お寺、神社などの名所をまわるのが基本だが、コースはお客が自由に設定可能（途中で飲食や買い物をするのもOK）
・法律上は「軽車両」の扱い（車道を走行）

引き手（車夫）の収入は？

「時給＋賞金」が基本

・時給：1000円～（売上実績に応じて昇給。地域によっては歩合制の店もある）
・売上目標クリア率の上位者に毎月賞金（1位：1万5000円、～6位：3000円。ただし時期により変動）

［売上目標］
（1人あたり）
土日：4万5000円
平日：3万7000円
※繁忙期の例
（時期により変動あり）

◆海外取材コーディネーター

1日2万〜5万円、情報とコネがモノをいう！

テレビや雑誌などの海外取材を現地でサポートする海外取材コーディネーターの業務範囲は、通訳やガイド、ホテルや移動手段の手配、取材先の事前リサーチやアポ取りなど幅広く、レベルもさまざま。日本語が堪能な現地の一般人や、留学・駐在している日本人が小遣い稼ぎに通訳やガイドをするだけで事足りるケースもあれば、専門の会社が企画段階から参加し、取材対象国の当局と交渉するケースもある。

コーディネート料は仕事の内容によって異なるが、1日約2万〜5万円というのが一般的。専業のコーディネーターの場合、地域による料金差はそれほどないという。

インターネットの普及で、日本にいながらある程度の現地情報を入手できるようになったため、コーディネーターには、よりくわしく、役立つ情報の提供が求められるようになってきた。知識はもちろん、幅広い人脈やコネを築くことも必要だ。

コーディネーターの評判はクチコミでマスコミ業界内に広がるので、優秀だと認められれば、その後は継続的に各方面から仕事が入ってくることが多い。

海外取材コーディネーターの仕事の流れ

（雑誌取材の例）

仕事の受注

↓

取材先候補の事前リサーチ　（取材可能かどうか、取材先として適当かどうかを確認）

↓

取材先のアポ取り　（具体的な取材依頼）

↓

スケジュール表作成

↓

レンタカー、機材等の手配　（撮影機材、スタジオ、現像所など）

↓

ロケハン　（撮影地として好適かどうかの事前視察）

↓

宿の手配

↓

取材同行　（通訳も兼ねる）

↓

スタッフ帰国後の追加取材、事実確認等

↓

原稿のチェック

有能なコーディネーターの条件とは？

- ◆クライアントの要望を優先しつつ、その要望にかなった選択肢をいくつも提示できる知識とセンスを持っていること
- ◆急な予定変更や予期せぬアクシデントに対し、迅速かつ適切に対応できること
- ◆（とくに長期取材の場合）集団内の人間関係の潤滑油的役割を果たしつつ、集団全体をうまくコントロールできること

コーディネート料

（韓国取材の例）

◆事前のアイデア提供、リサーチやロケハンを含む場合

3万〜5万円／日

◆当日の通訳のみの場合

2万〜3万円／日

レンタカー代、宿代、航空券代などの経費も込みで受注する場合は、これらの質を落とさずに、いかに安く上げられるかが、利益を左右するポイント

◆運転代行

「すき間ビジネス」でどれだけ儲かる？

マイカーで家を出たにもかかわらず、うっかりお酒を飲んでしまったときなどに重宝するのが**「運転代行」**。電話一本でマイカーとともに自宅まで無事送り届けてくれるサービスだ。

運転代行業者を呼ぶと、ドライバーが2人来る。1人はお客のクルマを、もう1人は随伴車を運転する。お客は自分のクルマに乗るのがルール。もし**随伴車に乗って帰ると「白タク行為」**になってしまうからだ。

２００２年に飲酒運転の罰則が強化されて以来、運転代行の利用者は着実に増えているが、これと同時期に、運転代行のドライバーにもタクシーと同様の**「2種免許」の取得が義務付けられた**。昼間に別の仕事を持つことが多いアルバイトドライバーに2種免許を取得させるのは何かと大変なので、今後は業者の淘汰が進む模様だ。

こうしたなか、タクシー会社が「プロのドライバーの安心感」をアピールして運転代行に参入する動きも目立ち、業界内の競争は激しさを増してきている。

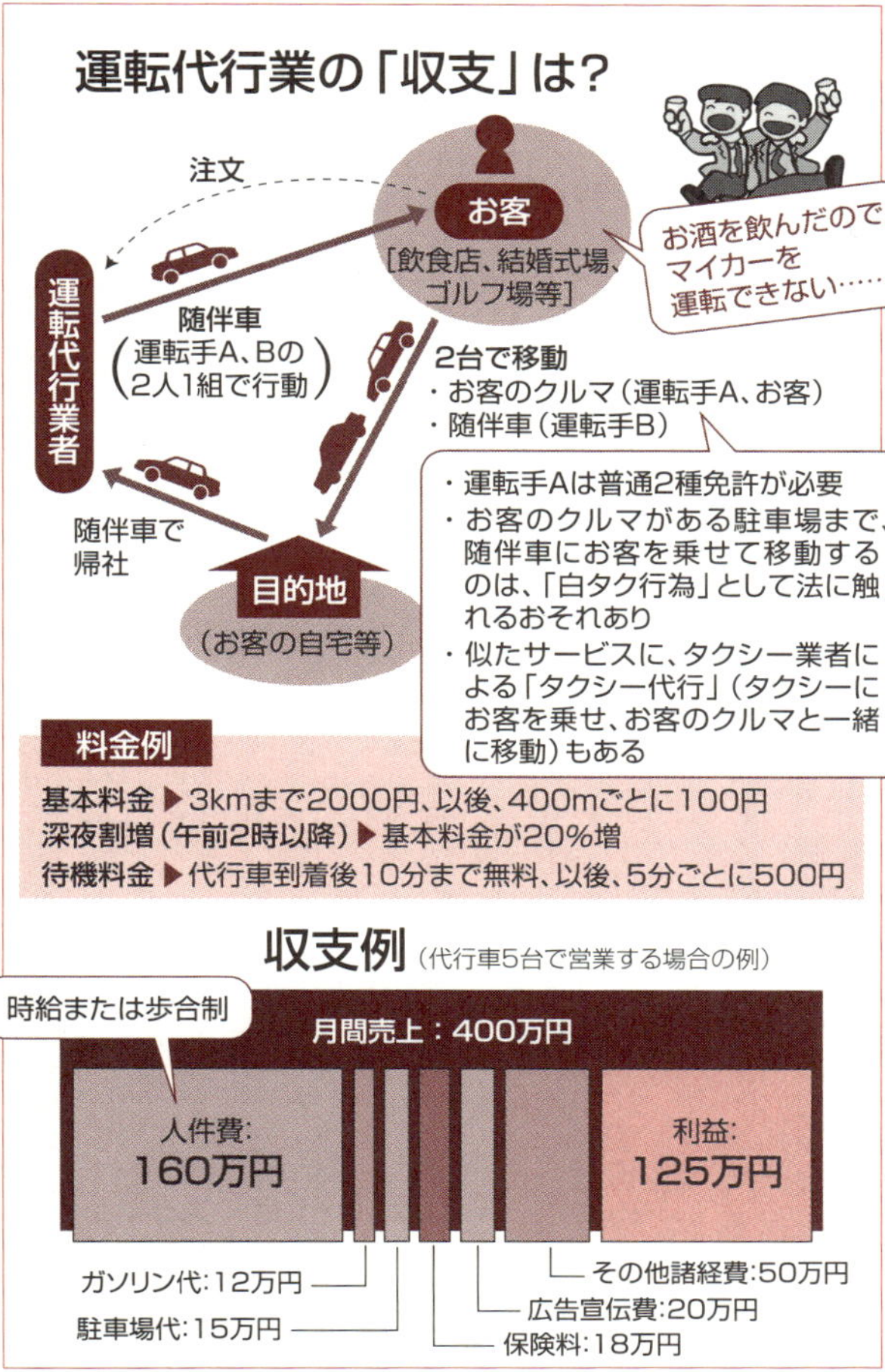
運転代行業の「収支」は？
注文
お客
［飲食店、結婚式場、ゴルフ場等］
お酒を飲んだのでマイカーを運転できない……
運転代行業者
随伴車
（運転手A、Bの2人1組で行動）
2台で移動
・お客のクルマ（運転手A、お客）
・随伴車（運転手B）
・運転手Aは普通2種免許が必要
・お客のクルマがある駐車場まで、随伴車にお客を乗せて移動するのは、「白タク行為」として法に触れるおそれあり
・似たサービスに、タクシー業者による「タクシー代行」（タクシーにお客を乗せ、お客のクルマと一緒に移動）もある
随伴車で帰社
目的地
（お客の自宅等）
料金例
基本料金 ▶ 3kmまで2000円、以後、400mごとに100円
深夜割増（午前2時以降）▶ 基本料金が20%増
待機料金 ▶ 代行車到着後10分まで無料、以後、5分ごとに500円
収支例（代行車5台で営業する場合の例）
時給または歩合制
月間売上：400万円
人件費：160万円
利益：125万円
ガソリン代：12万円
駐車場代：15万円
保険料：18万円
広告宣伝費：20万円
その他諸経費：50万円

◆デイトレーダー

1円の株価変動で1万円の利益を出す

かつて個人が株を買うといえば、証券会社が勧める優良企業の株を長期間持ち続けるという、貯金の延長のような形が多かった。一方、最近話題の「デイトレード」は、その名の通り、**1日のうちに何度も株を売買し、1円〜数十円程度のわずかな利ザヤを得る**のが特徴。普及の背景には、株式売買の手数料が大幅に下がったことや、個人投資家がインターネット上でリアルタイムに相場の動きを観察して、ダイレクトに売買注文が出せるようになったことがあげられる。

デイトレードで稼ぐ「デイトレーダー」たちは、刻々と変動する相場のトレンドを見きわめて売買を仕掛け、適当な利益が出た時点で素早く手仕舞う。予想の逆に動いたときは、被害が広がらないうちに潔く損切りする。大儲けは期待できないが、うまくいけば**わずか数分間で数万円**を稼ぎ出せる。翌日に株を持ち越さないから、突然の暴落や企業倒産のリスクも抑えられる。毎日地道に続けて安定した成績を上げ続けられれば、この超低金利時代においては、きわめて有利な投資といえるだろう。

デイトレーダーの売買例
（手持ち資金：約300万円）

	時刻	銘柄	売買	価格×株数	損益
前場（9時～11時）	09:10	銘柄A	買い	210円×1万株	
	▼ 09:15	〃	売り	211円×1万株	＋1万円
	09:55	銘柄B	買い	518円×4000株	
	▼ 10:12	〃	売り	514円×4000株	－1万6000円
後場（12時30分～15時）	12:42	銘柄C	買い	2310円×1000株	
	▼ 12:58	〃	売り	2330円×1000株	＋2万円
	13:28	銘柄D	買い	12万8000円×15株	
	▼ 13:35	〃	売り	12万9000円×15株	＋1万5000円

値動きが思惑に反したときは傷が広がらないうちに手じまい（損切り）することが大事

（合計）

売買損益	＋2万9000円
手数料	－9000円
	＋2万円

毎日この利益を上げ続ければ
1カ月で　約44万円
1年で　約528万円
のプラスに

証券会社に払う手数料の例

1日の合計約定金額*	手数料
300万円まで	3000円
600万円まで	6000円
…	…
300万円ごとに	+3000円

*同一銘柄のデイトレードは片道分のみが計算対象

- 時間外に悪材料が出て株価が暴落するリスクを避けるため、各取引（買い→売り）は立会時間内に完結させるのが基本
- 信用取引口座を開いていれば、同じ資金力でも動かせる金額が大きくなるうえ、値下がり確実な株を「カラ売り」（株を証券会社から借りる形で売り、値下がりしたところで買い戻し）して利益を得ることも可能に

◆ヤミ金融

すぐにお金を貸してくれる怖い手口と、そのしくみ

チラシやDMで「審査不要」などと甘い言葉で勧誘し、少しでも手を出したら最後、**年利数百%〜数千%**という法外な利息を請求し、支払いが滞ると脅迫的な取り立てを行なう悪質な貸し金業者が**「ヤミ金融」**だ。

ヤミ金融にはさまざまな手口がある。自営業者などが対象の**「システム金融」**は、手形や小切手を担保に高利で現金を貸し付ける。借りた側は不渡りを避けるために別のヤミ金融から借り、これをくり返すうちに借金は雪だるま式に増大……。業者は**互いに情報を融通し合い、たらいまわし**にして徹底的にむしり取る。

「クルマに乗ったまま即融資」などと手軽さをうたう**「リース金融」**の場合、たとえば、クルマを買い取る代金としてお客にお金を渡し、同時にその場で、クルマをお客にリースする契約を結ぶ。たしかに乗ったままでお金が借りられるが、あとで買い戻さないかぎり、とんでもなく**高額の「リース料」をいつまでも払い続ける**ハメになる。

ほかに、金券や化粧品を売買する形式で高利の貸し付けをする手口などもある。

ヤミ金融の手口例

システム金融

「審査不要、即日融資」
などの文句で勧誘

- 中小企業や自営業者が対象
- 手形や小切手を担保に高利で貸し付け

例　100万円を融資
↓
10日おきに50万円の手形を振り出させる

年利約730％
（出資法による上限は年利29.2％）

業者同士でお客の情報を交換し、返済期日が近づくと別の業者が勧誘 → その場しのぎで借り続けると、たちまち膨大な返済額に

リース金融

「クルマに乗ったまま即融資」
などの文句で勧誘

クルマや家財を買い取る契約を結び、売買代金としてお金を渡す
↓
売買されたクルマや家財は引き取らず、お客にリースする契約を結ぶ
↓
リース料の形で高額な利息を請求

チケット金融

高速道路回数券などの金券を代金後払いの形で渡す
↓
金券はすぐに換金させる
↓
後日、額面金額を請求

差額が利息に相当

類似手口として、
パンストや化粧品などを販売する形をとるパターンも

例　化粧品（数百円相当）と現金6万円を渡す
↓
1週間後に商品代金として9万円を請求（年利約2500％）

商売の「裏」がわかるコラム❸

コンビニの「直営店」と「オーナー店」の見分け方は?

コンビニを経営形態から見た場合、FC本部が経営する「直営店」と、FCの加盟者が経営する「オーナー店」の2種類に分けられる。

直営店は、本部から派遣された社員が運営している。チェーンの手本となるべき店なので、本部からの指示やマニュアルに非常に忠実なのが特徴。直営店であることを示す特別な表示や目印があるわけではないが、新しい商品やサービスを他店に先駆けてテストしていることが多い。

店長がいつもネクタイ姿、店員たちの元気すぎる(?)あいさつ、店内は常にピカピカ——こういう店は直営店の可能性大。

これがオーナー店になると、チェーンの運営マニュアルがあるとはいえ、現場の細かな決定には、やはり経営者個人の性格や考え方が反映されてくる。

たとえば、売れ残りの弁当はすべてゴミとして廃棄するのが本部の指示でも、「捨てるなんてもったいない!」と考えるオーナーの店では、アルバイト店員が持ち帰ることをこっそり認めていたりする。

当然、アルバイト先としてはオーナー店のほうが人気だ。

4章

サービス業の儲けのしくみ

気持ちよくお金を落としてもらうために！

◆レンタカー

法人需要と個人需要――どちらが鍵？

レンタカーのユーザーは法人が全体の6割にのぼり、車種別ではトラックが半分近くを占めている。**法人需要は季節変動が少ないうえレンタル期間が長期**の場合が多く、レンタカー会社にとってはありがたい存在。そのぶん、料金は安めに設定されている。近年は、経費削減のためにリースからレンタカーにシフトする企業が増えている。一方、**個人需要は、レジャーでの利用が多いため休日に集中しがち**で、季節変動も大きい。料金は、利用が集中する時期には高めに、閑散期には安めに設定される。稼働率が利益率に直結するので、閑散期の稼働率をいかに上げるかがポイントとなる。

今後、法人需要の急増は期待しにくく、各社とも個人利用の拡大に力を入れている。都市部などでは、マイカーを持たず、必要なときだけレンタカーを利用するユーザーが増える傾向にあり、まだまだ市場拡大の余地はありそうだ。

ちなみに、レンタカーの**切り替えサイクルは約2〜4年**で、引退後は中古車市場に出される。稼働率の低い大型車などには掘り出し物も少なくないという。

利益を左右するカギは「稼働率」

個人需要と法人需要の比率＝6：4

- レジャー利用が中心なので、曜日・季節による需要変動が大きい
- 乗り捨ては回送のコストと時間がかかるので効率が悪くなりがち
- 都市部では、マイカーを持たずに休日だけレンタカーを利用する人が増えている

- 季節による需要変動が少ない
- 1週間単位や月極の長期利用も多く、高い稼働率が見込める
- 経費節減目的で、社有車やリースからレンタカーに切り替える企業が増えている

レンタカーの寿命は？	▶▶▶▶	約2～4年で中古車市場へ（普通乗用車の場合）
「レンタルアップ車」はお買い得？	▶	値段は相場の1～2割安 車歴がはっきりしている なかにはかなり走り込んだクルマも……

レンタカー業界の売上ランキング

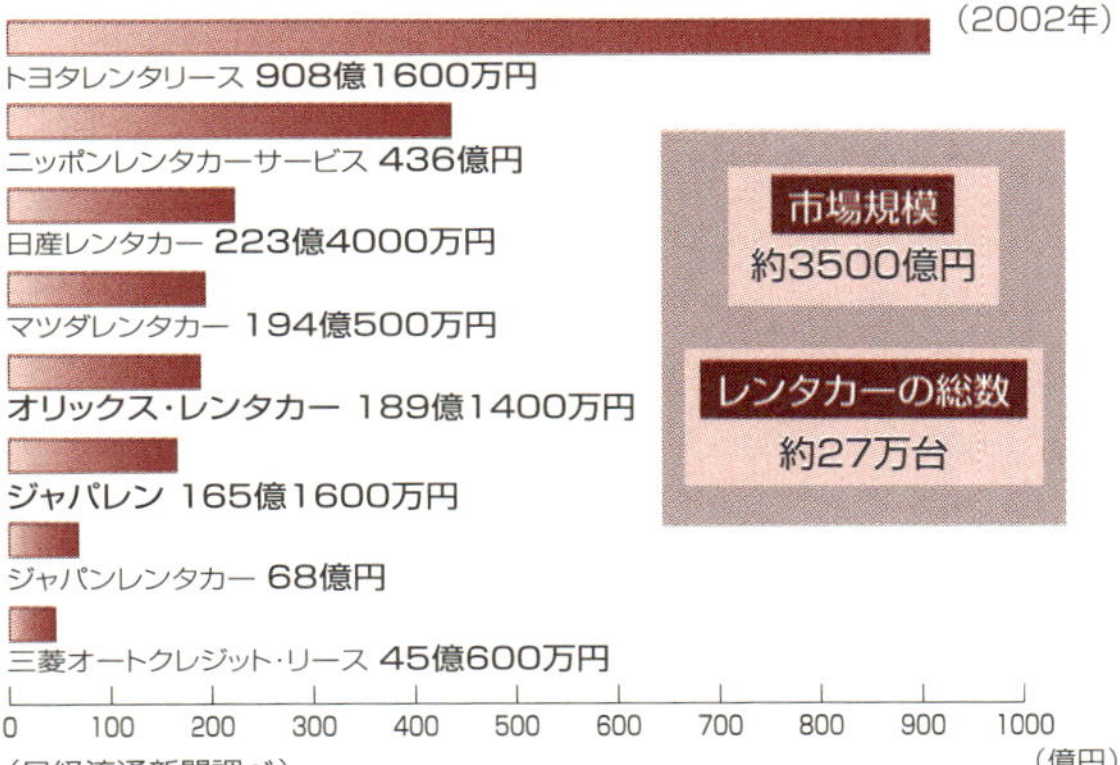

市場規模
約3500億円

レンタカーの総数
約27万台

（日経流通新聞調べ）

◆スポーツクラブ

月会費9000円で、その利益率は?

スポーツクラブの市場規模は約3000億円。余暇のための時間が増え、健康志向やダイエット志向という追い風は吹いているものの、少子化により子供の会員数は減少気味で、また、20代の若年層は、仕事が忙しくなったり、ほかのレジャーに興味が移ったりと、入会しても長続きしない傾向がある。

そんななか、主婦を中心とした中高年層の会員が増加している。この年齢層の会員は、健康維持など明確な目的を持って通う人が多く、比較的高い定着率を誇っている。この中高年層をいかに取り込むかが、生き残りのカギとなるだろう。単に施設を利用してもらうだけでなく、太極拳やエアロビクス、プールでのウォーキングなど、カルチャー教室的な要素を兼ね備えるのも、会員獲得には重要なポイントとなる。

スポーツクラブ経営を支えるのは、前払いの会費収入。一年中会員を募集し続けても施設がパンクすることはまずないという現実は、入会しても長続きせずに退会する会員や、会費を払うだけでほとんど利用しない「幽霊会員」の多さを物語っている。

スポーツクラブの収支例

（会員数約3000名、延床面積600坪のクラブの例）

料金例	月会費	入会金
全日会員	9000円	2万円
家族会員	8000円	1万円
平日会員	6000円	1万円
法人会員	2万円	3万円

入会金を低く設定したり限定利用（昼間のみ、プールのみ等）の会員制度を作るなどして、新規入会の敷居を低くする手も

チケット20枚または無記名カード2枚を利用可能

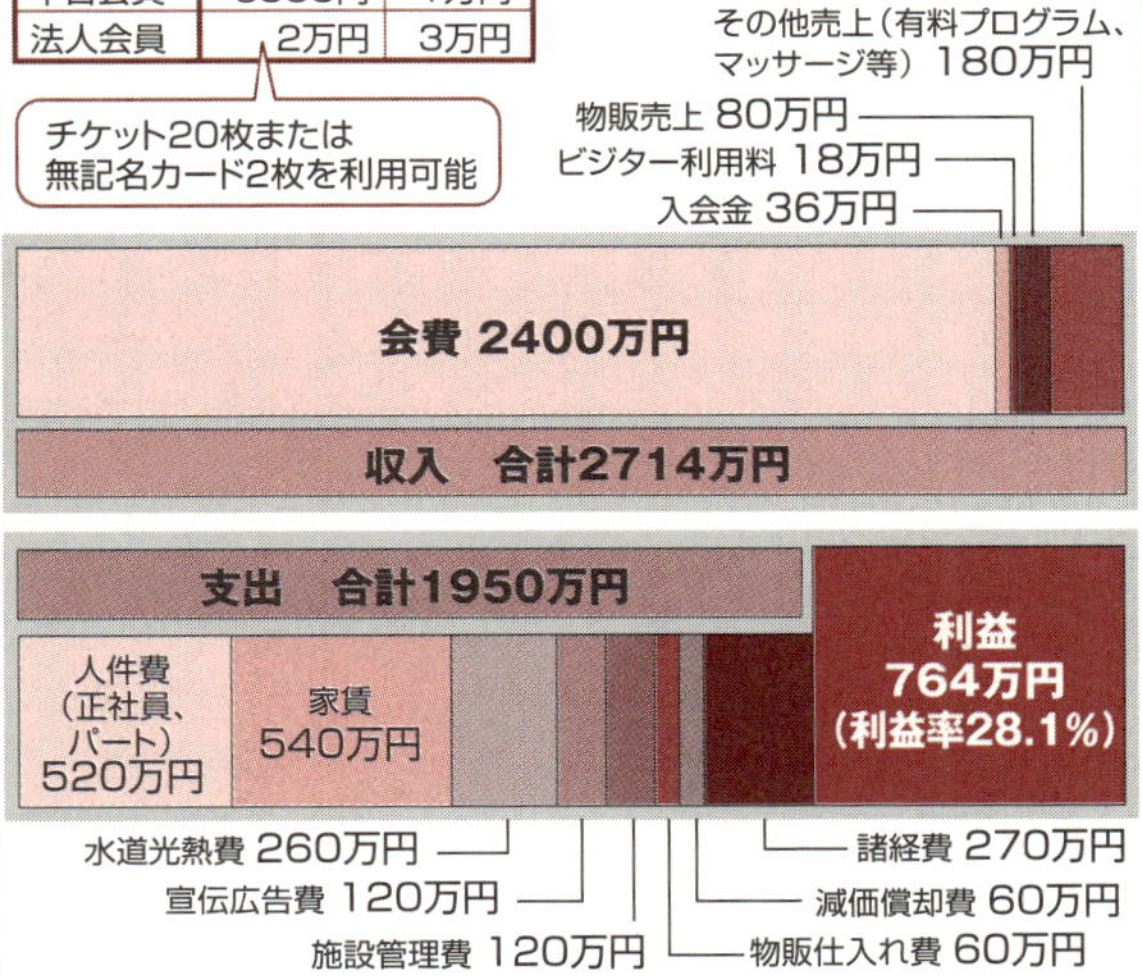

- ✿ 坪あたりの会員数は6名以上が理想的
- ✿ 平日夜間や休日に利用が集中しがちなので、平日昼間に利用する会員（主婦、高齢者）をいかに獲得し、各時間帯の利用者数を均一化させるかがカギ
- ✿ ほとんど利用せずに会費だけ払っている"幽霊会員"が大きな利益源であるケースも少なくない（?）

◆ゲームセンター

機種ごとの儲けを割り出す「ゲーセン版ＰＯＳ」

近年、ゲームセンターの売上や店舗数は減少傾向にある。数年前の「プリクラ」や「音ゲー」（音楽系ゲーム）のような熱いブームが、最近はあまり見られない。

しかし、従来型の小規模なゲームセンターが淘汰される一方で、大がかりな**複合型アミューズメントパーク**が各地の繁華街やショッピングセンターに相次いで出店していて、今後はこのタイプの施設が主流になっていくと思われる。

従来、ゲームセンターでは、機械に投入された硬貨は手作業で回収して数えるのが普通で、計算し終わるまでは各機ごとの売上がわからず、経営戦略が立てにくかった。各ゲーム機を有線・無線ＬＡＮでつなぐ方法も、筐体の移動が多い、筐体から出るノイズが多い等の理由から実現がむずかしかった。

しかし近年、こうした点を補った**ゲーセン版ＰＯＳ**（販売時点情報管理システム）がようやく登場し、売上をリアルタイムに集計することができるようになった。ゲームセンター経営もようやくアナログの時代を脱したといえる。

業務用ゲーム機の種類別売上高※

かつての「ストリートファイターⅡ」のようなヒット作にめぐまれず、ここ数年は低落傾向

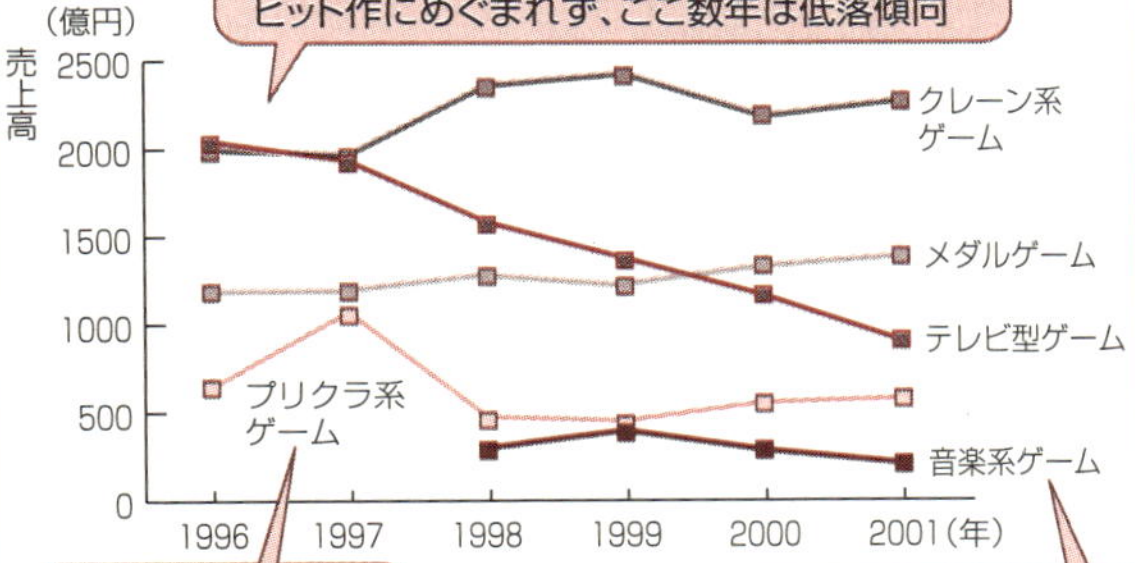

女子高生を中心にプリクラブーム到来

1997年の「ビートマニア」、翌年の「ダンスダンスレボリューション」で、新ジャンルの“音ゲー”が一気にブームとなる

※ゲーム機のプレイ代
(日本アミューズメントマシン工業協会調べ)

総売上高
5903億円

総店舗数
3万1600店

- 筐体は使いまわしができ、基盤を交換すれば別のゲームに変えられる
- 交換して不要になった基盤は中古販売業者に売却。売却価格は1枚数千円から10万円程度まで、ゲームによりさまざま

ゲーム機の値段は?

ビデオゲーム

筐体(テーブル、モニター、操作パネルなど、外側の部分	**20万円**程度
基盤(ゲームのプログラムが組み込まれた心臓部分)	**30万円**程度
合計	**50万円**程度

体感ゲーム(音ゲー、レーシングゲームなど)

100万円以上(機種により大きく異なる)

ゲームセンターは「回転率」が命

- 常に順番待ちとなる人気ゲーム機なら、1日で200プレイ(1ゲーム100円として売上2万円)も可能!
- 逆に、不人気で閑古鳥状態のゲーム機は、元を取れないまま入れ替えざるをえないことも……

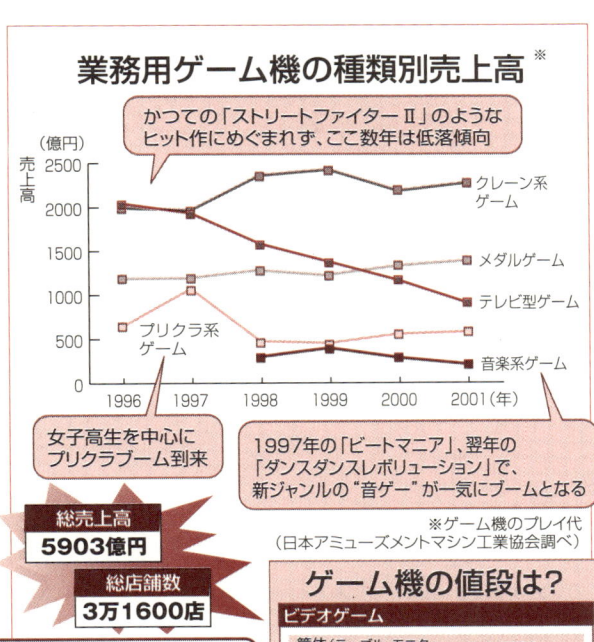

◆健康ランド

開業時の投資は10億円、それでも儲かるしくみは?

健康ランドは、1984年に名古屋市郊外に登場したのが最初といわれる。以来、各地で増え続け、さまざまな趣向を凝らした各種バスやプール、アスレチックジム、ゲームセンター、カラオケ、マッサージルームなど、リラクゼーションと飲食と遊びの複合レジャー施設へと進化している。**開業時の投資額は10億円を超え、リニューアルもたびたび必要**となることから、しっかりした資本力と経営力が必要とされる。

健康ランドの強力なライバルとなっているのが**「スーパー銭湯」**。利用者が年々減少している銭湯が、生き残りを賭けてサウナやスポーツ施設などを併設し、健康ランドに流れたお客を取り返しにかかっている。入浴料の安さが武器のスーパー銭湯に対抗すべく、健康ランド側も、入場料の昼間割引を始めたり、飲食部門やアミューズメント部門の充実を図るなどして対抗している。

健康ランドというとオジサン、オバサンのものというイメージがつきまといがちだが、今後は、若者や女性をいかに取り込むかが課題といえる。

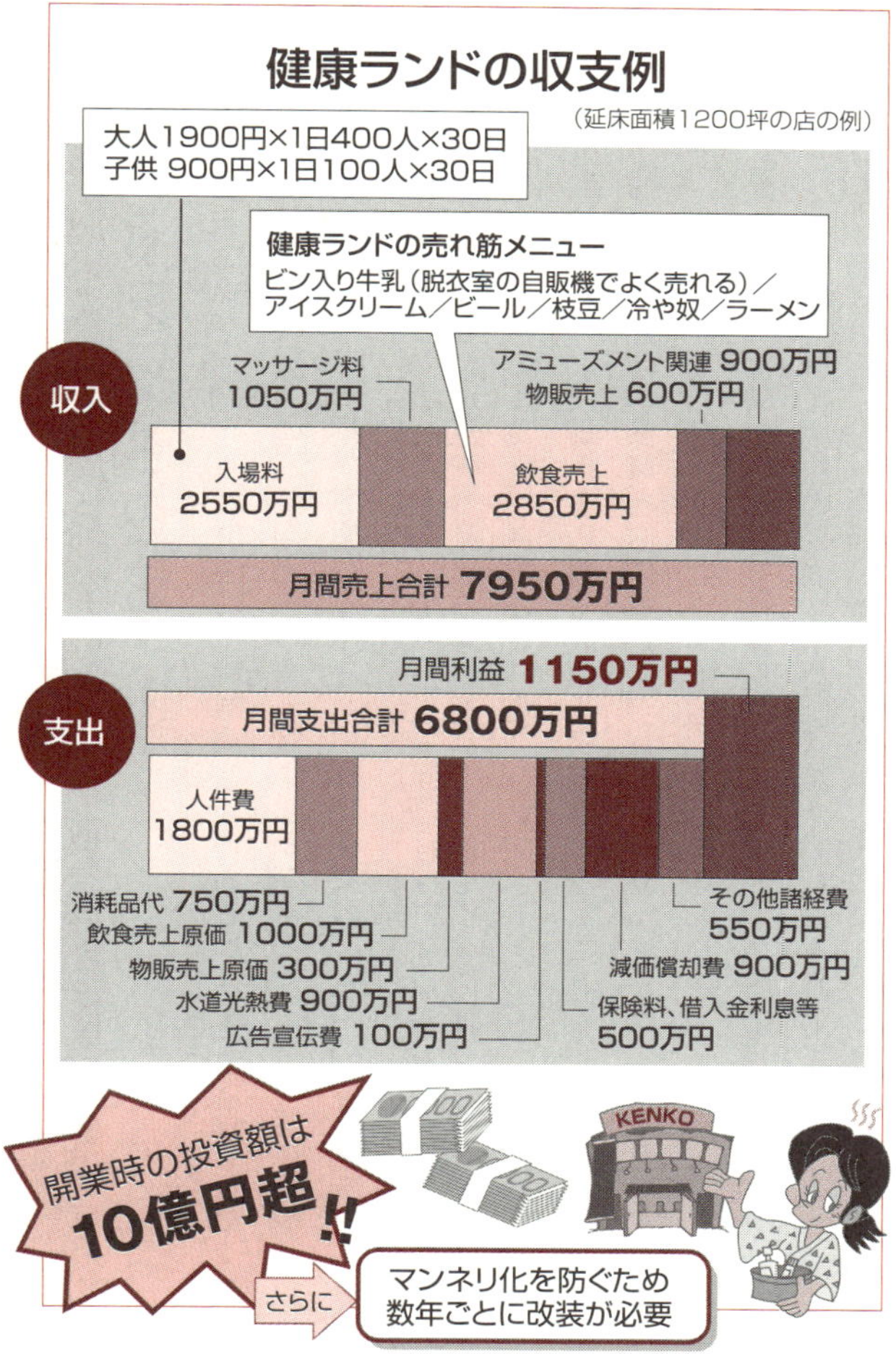
健康ランドの収支例
（延床面積1200坪の店の例）
大人1900円×1日400人×30日
子供 900円×1日100人×30日
健康ランドの売れ筋メニュー
ビン入り牛乳（脱衣室の自販機でよく売れる）／
アイスクリーム／ビール／枝豆／冷や奴／ラーメン
収入
マッサージ料
1050万円
アミューズメント関連 900万円
物販売上 600万円
入場料
2550万円
飲食売上
2850万円
月間売上合計 7950万円
月間利益 1150万円
支出
月間支出合計 6800万円
人件費
1800万円
消耗品代 750万円
飲食売上原価 1000万円
物販売上原価 300万円
水道光熱費 900万円
広告宣伝費 100万円
その他諸経費
550万円
減価償却費 900万円
保険料、借入金利息等
500万円
開業時の投資額は
10億円超!!
KENKO
さらに
マンネリ化を防ぐため
数年ごとに改装が必要

◆ハウスクリーニング

「プロの仕事」にいくら出せる？

ハウスクリーニングというと、生活に比較的ゆとりのある層が家事代行を依頼する「お手伝いさん」「家政婦」の延長線上というイメージがあったが、最近では、**働く女性や単身の高齢者からの依頼が増加している**という。従来の「主婦の手抜き」というマイナスイメージは払拭され、エアコンや風呂釜など、家庭では掃除がむずかしい部分はプロにまかせるという意識も高まりつつあり、今後も需要の伸びが期待できる。

ある程度のノウハウが必要な仕事なので、既存のフランチャイズチェーンに参加して開業する場合が多い。大規模な店舗や設備を必要としないことから、**開業自体は比較的容易だが、大掃除の季節などに依頼が偏りがち**なのがつらいところ。仕事の波を読み、スタッフを効率的に動かすことが、安定した運営のポイントとなる。

プロの名に恥じないクリーニング技術はもちろんのこと、お客の自宅に上がり込んでの作業となるため、信頼関係の確立も重要だ。細かい仕事を地道に積み重ねてリピーターを獲得し、そこからクチコミで顧客を増やすのが基本戦略といえるだろう。

ハウスクリーニングの収支例

（従業員を2人雇ったFC店の例）

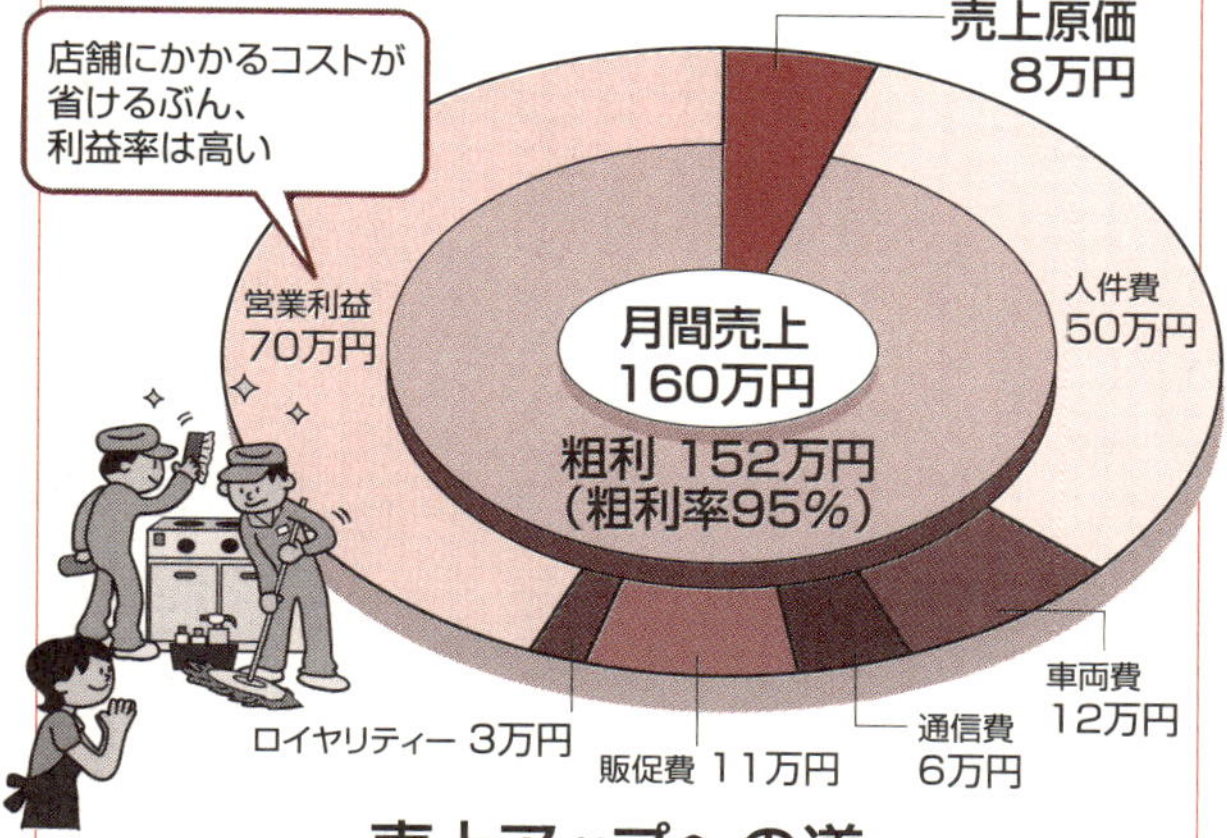

売上アップへの道

個人宅に上がって
作業をするので、
信頼感が何よりも重要

↓

新規顧客獲得においては
「クチコミ」の占める
比重が大きい

↓

とにかく確実に仕事を
こなし、少しずつ評判を
高めていく

サービス利用に対する後ろめたさ
（「家事の手抜き」「ぜいたく」等）
をいかにして取り除くか

↓

「プロの仕事」をアピール

料金例

キッチン＋換気扇掃除	2万2000円～
バス、洗面台掃除	1万8000円～
トイレ掃除	6000円～
エアコン掃除	1万円～
ガラス、サッシ掃除	1000円／㎡～

◆宅配便

ドライバーの給与システムはどうなっている？

今や宅配便の代名詞ともなった「宅急便」をヤマト運輸が始めたのが１９７６年。以来、宅配便市場は拡大を続けた。

個人需要は飽和状態といわれた時期もあったが、**インターネット通販の商品配達や代金回収**を手がけるなど新規需要の開拓に努めたこともあり、勢いは衰えなかった。

法人需要では、各企業が在庫縮小のために、従来の**大口貨物輸送から、多頻度少量配送に適した宅配便へシフト**を進めたこともあり成長を続けてきたが、市場の拡大はそろそろ限界に近づいてきているとの見方もある。

そこで宅配便業界が期待しているのが、**郵便事業への本格参入**だ。すでに「**メール便**」などの名前でＤＭやカタログなどが宅配便業者によって配達されている。

郵便事業を民営化する「郵政改革」が政府によって進められているが、民間企業の参入条件を定める「信書便法案」では、これまで宅配便が扱ってきたものまで規制される可能性もあり、改革が業界にとって追い風になるかどうかは微妙な情勢だ。

1人で1日に何個取り扱える？

（某大手業者の例）

給与 ＝ 基本給 ＋ 歩合給 ＋ 諸手当

基本給：年齢、勤続年数などで決まる

歩合給：

配達　基本個数（70個）を超えるものについて、**30円／個**

集荷　基本個数（50個）を超えるものについて、**35円／個**

- 1カ所でまとまった数の荷物を集荷できるオフィス街などを担当していると有利！
- なかには1日に200〜250個を扱うドライバーも

収入例

（35歳、勤続9年、扶養家族あり）

月給

42万円*×12カ月＝
504万円

［内訳］
*基本給＋諸手当＝30万円
歩合給＝12万円
※歩合給は月によって変動

＋

ボーナス

75万円×年2回＝
150万円

＝

合計（年収）

654万円

取次店に支払う手数料は？

コンビニなど
（チェーン全体で一括契約する場合）
➔ 一律**135円／個**

個人商店など
（1軒ごとに個別契約する場合）
➔ 最小サイズは**100円／個**
サイズ・重さにより10円きざみで増える

宅配便取扱個数の推移

（国土交通省調べ）

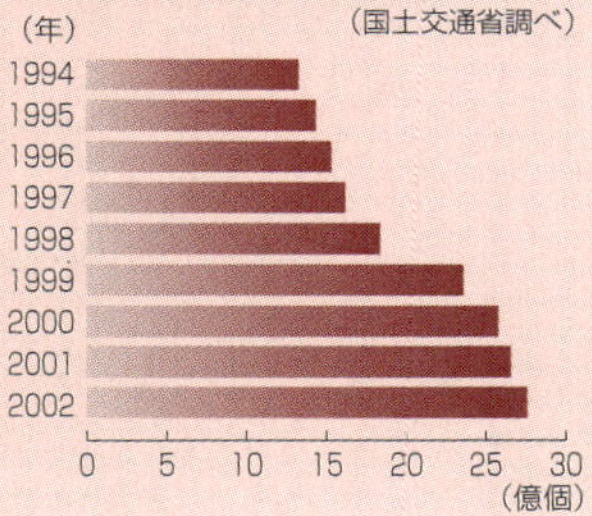

◆バイク便

歩合制・時給制……、ライダーたちの使い分けがカギ

都心の交通渋滞をすいすい走り抜ける**バイク便**は、原稿やデータ、フィルムを大急ぎでやりとりする必要のある広告代理店や出版社、写真現像所にとって心強い味方だ。現在、バイク便の大手は、ソクハイ、バイク急便、セルートの3社。中小業者になると、自ら開拓した顧客からの注文のほか、これら大手業者や宅配便業者の下請け仕事もこなしていることが多い。

バイク便を支えるライダーたちの給料システムには、時給制と歩合制がある。会社としては、安い荷物、すなわち、同業他社に勝つために大幅な割引料金で引き受けている**大口顧客の安い荷物は歩合制のライダーに任せ、通常料金の荷物を時給制ライダーに割り振る**のがベストということになる。

広告や出版業界でもデジタル化、ネットワーク化が進んでいることから、今後、モノをやりとりするニーズがさほど増えるとは思えないが、２００３年６月に**「特定信書便事業」**が許可されたことで、今後の市場拡大が期待されている。

バイク便の仕事の流れ

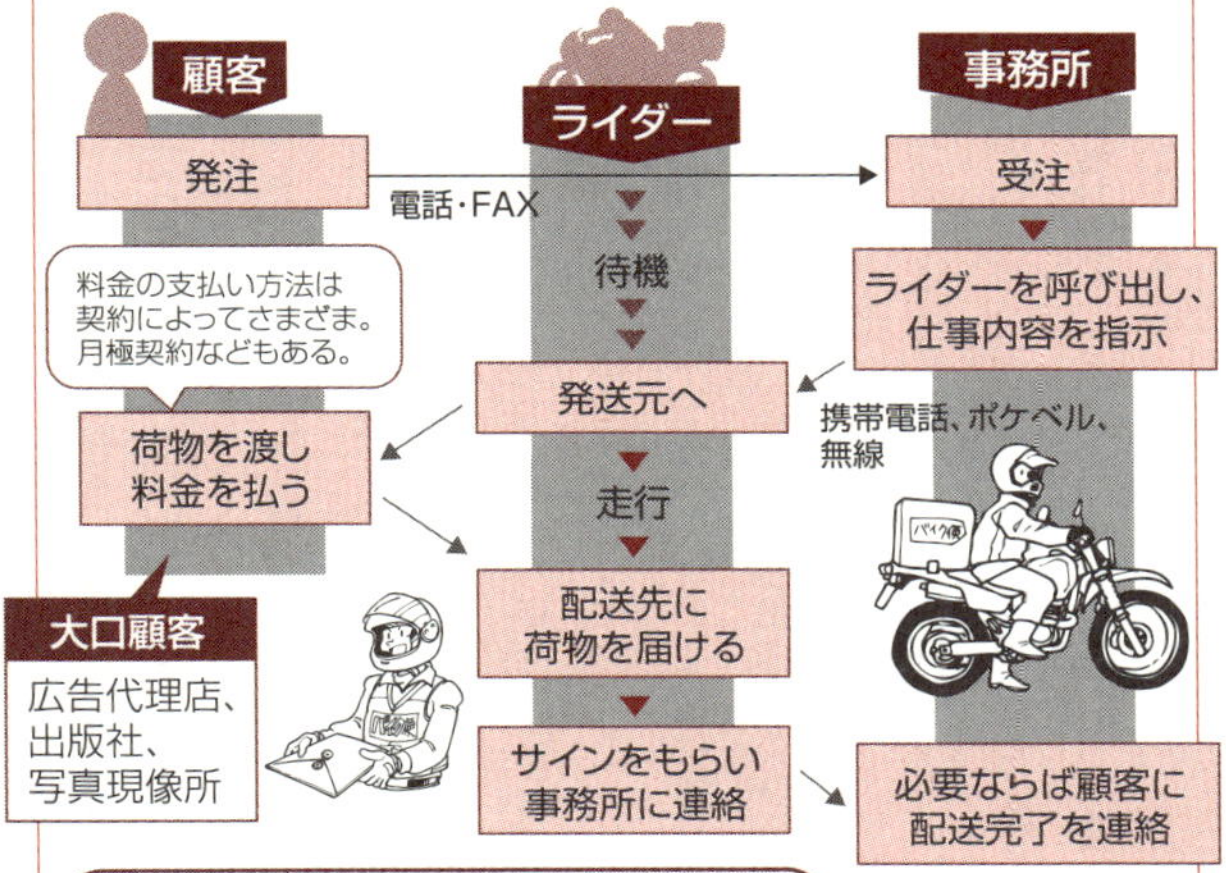

バイク便ライダー（完全歩合制）の収入例

平均単価4000円×歩合55%×8件配達＝日収**1万7600円**

- 完全歩合制の場合、50〜60%程度が一般的
- 配達件数は日によって変動
- 月に22日働くとすれば月収**38万7200円**

そのほかの手当・特典　車両持ち込み手当／3万円（月額）、ガソリン代／実費支給（月200リットルまで）、携帯電話通信費／実費支給、バイク部品の割引販売　など

バイク便の料金体系の例

（都内のある業者の場合）

キロ数	料金（円）
1	1300
5	2500
10	4000
15	5500
20	7000
25	8000
30	9000

発注元から配送先の直線距離

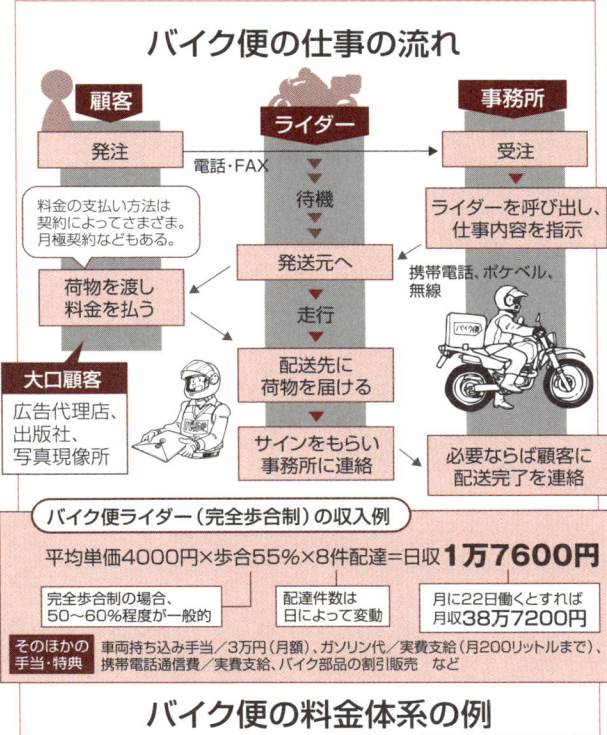

- 早朝や夜間・深夜、日曜・祝日は割増料金
- オーダーの内容により、立ち寄り料金、待機料金、高速料金などが加算される

◆人材派遣

派遣料金は今どうなっている？

近年、リストラされた正社員の代替要員やアウトソーシングのための人材を派遣する**人材派遣業**が伸びている。１９９９年、規制緩和によって**派遣職種が原則自由化**され、需要が高い営業職や販売職での派遣ができるようになったことも追い風となった。ただし、派遣人数の伸びほどには売上が伸びていない。つまり、採用企業から派遣会社に支払われる賃金が伸びていないということだ。

業界大手は数社あるが、目下のところ群雄割拠状態。ここ数年の傾向としては、ＩＴ分野の需要が高まり、一部の業務では人材不足になっている。今後は、この分野での研修ノウハウと豊富な人材を持つ大手がシェアを伸ばしてくると見られる。

かつては「派遣社員＝一時しのぎの身分」といったイメージが強かったが、一定期間ののちに正社員や契約社員として採用される可能性もある**「テンプツーパーム」（紹介予定派遣制度）**も解禁になり、雇用市場における人材派遣業の役割はますます大きくなっている。

派遣労働者数と売上高

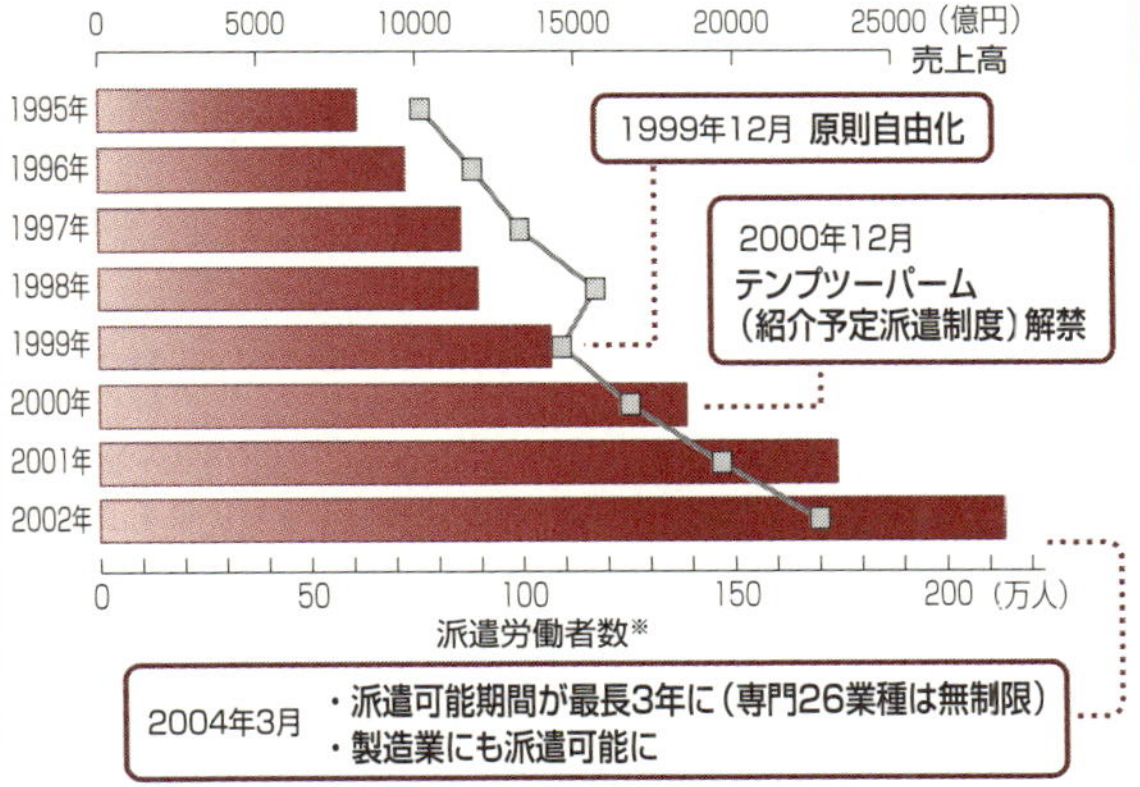

派遣労働者数
売上高

※一般労働者派遣事業における常用雇用労働者数と登録者数、特定労働者派遣事業における派遣労働者数の合計
（厚生労働省「平成14年度 労働者派遣事業報告」）

派遣料金の平均額

（一般労働者派遣事業における1人1日［8時間］あたり平均額）

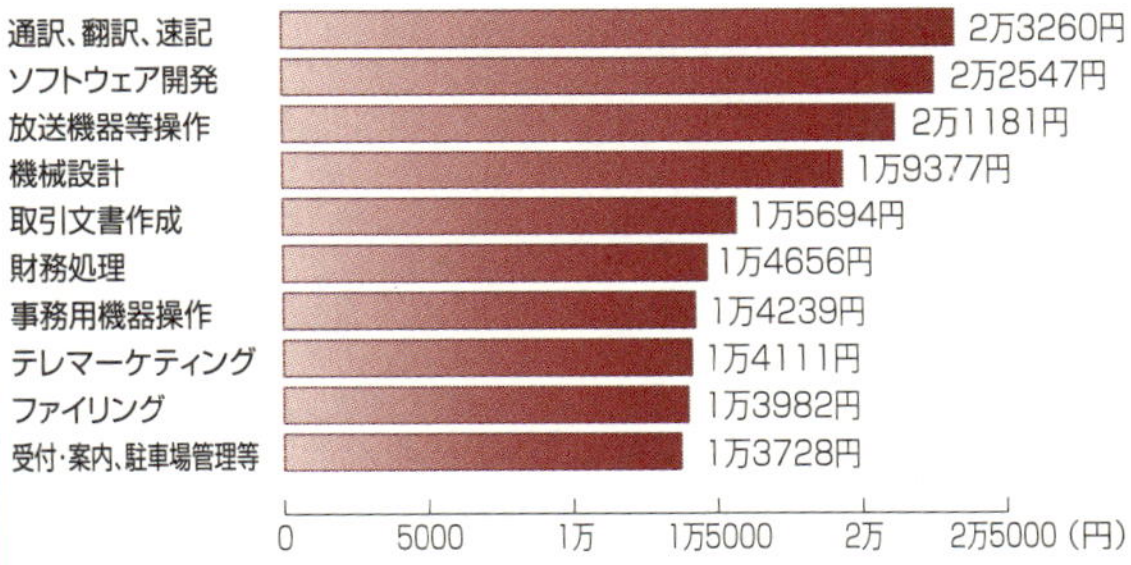

（厚生労働省「平成14年度 労働者派遣事業報告」）

◆介護サービス

5兆円を超える市場で、どう利益を出していくか

日本の65歳以上人口は、2025年には3300万人を超えると見られ、今後、介護サービス事業が巨大なマーケットに成長することは、まず間違いない。

介護サービスは大きくふたつに分けられる。ひとつは、2000年に導入された介護保険が適用されるもの。医療と同じように公定料金の基準が決められているのが特徴で、これだけでも5兆円を超える市場規模になる。

もうひとつの大きな分野が、介護保険の対象外となる各種のサービス。食事サービス、移動サービス、ホームヘルパーの育成・派遣、福祉用品の販売・レンタルなど、内容は多岐にわたり、さまざまな業界の企業が、それぞれのノウハウを生かして続々と参入してきている。

ただし現時点では、とくにホームヘルパー派遣事業などでは人件費がネックとなり、採算ベースに乗っていない企業が多いようだ。今のところは、将来の成長を見すえた投資段階にあるといえる。

訪問介護サービスの料金例

（東京23区を対象地域とする事業者の例）

サービス内容	料金（8時～18時）			
	30分未満	30分以上60分未満	60分以上90分未満	90分以上30分ごとに
身体介護中心型	2251円	4309円	6260円	2347円
家事援助中心型	－	1640円	2379円	889円
複合型	－	2980円	4320円	1618円

※8時以前、18時以降は割増料金

- 自己負担は1割（要介護認定を受けた65歳以上の被保険者の場合）
- 要介護度に応じて1カ月の利用上限額が決まっている

第1号被保険者（65歳以上）　2425万3281人
→2025年には3300万人を突破の見込み
要介護（要支援）認定者　360万7078人（14.9%）
居宅介護（支援）サービス受給者　208万9741人（8.6%）
（2003年11月末現在）

訪問介護サービスで利益を上げるには

- 最大のコストは人件費
  → ヘルパーの稼働率をアップ（移動時間の短縮・効率化）
- 保険対象外の有料サービス
  （食事の宅配、外出時の移送、出張理美容など）や物販の展開

など

電機、自動車、住宅、アパレルなど、異業種からの新規参入も

訪問介護の平均滞在時間

身体介護中心型：　70.6分
家事援助中心型：　96.7分
複合型：　115.3分
（厚生労働省「平成13年介護サービス施設・事業所調査」）

◆派遣英語講師

報酬は時給制、年収アップの秘策は？

派遣会社に登録し、そこから紹介されたところに出向いて英語を教えるのが、派遣**英語講師**だ。外資系企業の日本市場への参入や、海外企業との取引などが増えたため、企業から**社員の英会話研修**を依頼されることが多いという。ひとつの派遣先では、週**1回の2時間授業を10～20回**ほど行なうのが一般的。報酬は**時給制**なので、ある程度の収入を確保するためには、派遣先をいくつも掛け持ちしたいところだが、派遣先までの移動時間を考えれば、１日の勤務はかぎられてしまう。この仕事だけで生活するのは、なかなか厳しいようだ。**翻訳や英語教材の作成など、自宅でもできる仕事をほかに確保**している人が少なくない。

また、ビジネスマン相手の授業となると、質問の内容も専門的で難解になってくる。ヘタな返答をすると、講師への評価は一気に下がる。次の仕事につなげるためにも、日々の勉強は欠かせない。ＴＯＥＩＣスコアで実力を測られることがあるので、テストを受け直して高スコアに書き換えることも、仕事を得るためには大切なことだ。

派遣英語講師の収入例

（月～金曜・1日2～4時間）

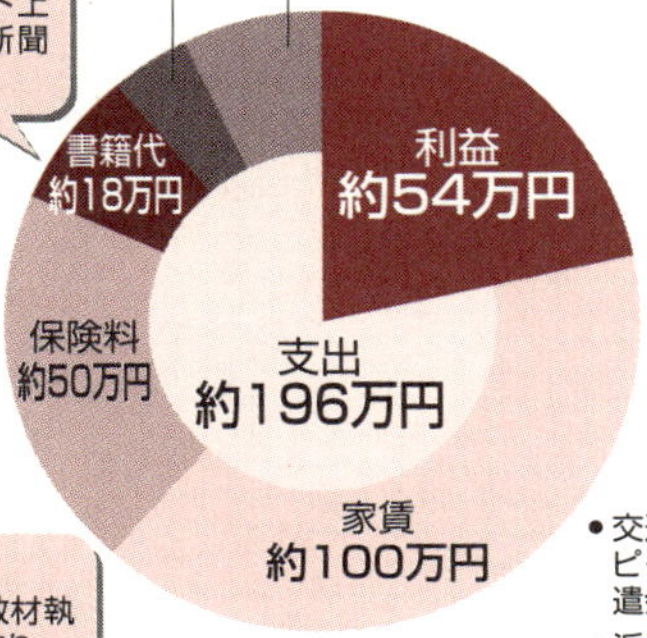

新聞はThe Japan Timesやネット上の無料の英字新聞をとっている

時給4000円。このほかに翻訳や教材執筆の仕事での収入あり。

年収 約250万円

- 交通費・資料代（コピー代）などは派遣会社が全額負担
- 派遣先の登録料は無料

メリット

- 比較的自由に時間が使える
- 人間関係でのストレスがほとんどない

デメリット

- コンスタントに仕事が入るとはかぎらない
- 生徒からの評価が悪ければ次からは仕事が来なくなるので、自分のスキルアップは欠かせない

授業の準備を完璧にするのはもちろん、英語に関係する情報をネットで収集したり、テレビの語学番組を教材なしで見たり、洋書を読んだり洋画を見たりして英語力をさびつかせないようにする努力が必要

◆デリヘル

「姫」の取り分は料金の半分前後

電話1本で女の子が自宅やホテルに出向く**「デリバリーヘルス」(デリヘル)**は、数ある風俗産業のなかでも開業がもっとも簡単な業種のひとつだ。警察署で**「無店舗型性風俗特殊営業第1号」**の届出をするだけでOK。店舗を持たないため、開業資金や家賃も安あがりで、営業時間の制限もない。

開業の届出をクリアしたあとは、**質の高い「姫」(ヘルス嬢)の確保と、お客向けの広告宣伝が、デリヘル経営の生命線**となる。風俗情報誌や夕刊紙、ホームページを利用するのが基本だが、ヘルス嬢の**求人広告を主体にしたチラシをポスティングするという裏ワザ**もある(営業宣伝のポスティングは違法になってしまう)。

一般に**ヘルス嬢の取り分は、料金の半分前後**。お客から注文がなければヘルス嬢は待機しているだけでお金にならないが、1日1万円程度の保障給を出すお店もある。利益率を上げるには、客数を読んでムダの出ないよう出勤調整をする必要がある。また、売上を大きく左右する「姫」たちに気持ちよく働いてもらう環境作りも肝心だ。

デリヘルの収支例

2万5000円（平均客単価）×10人（1日の平均客数）×30日

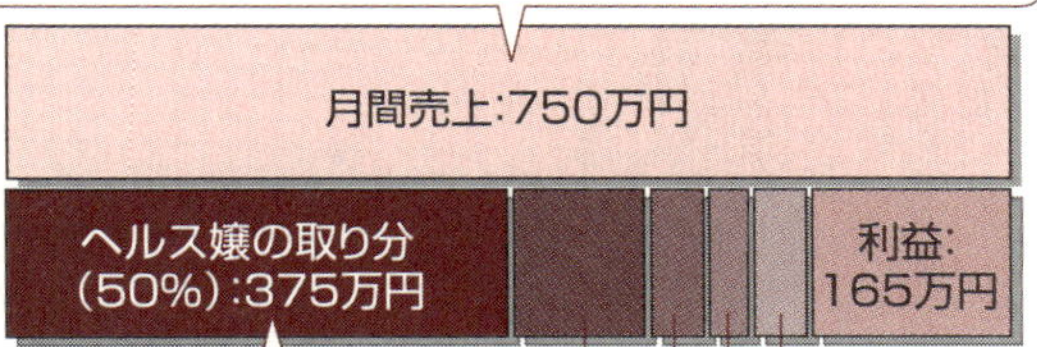

売上の40〜60%程度が一般的

人件費:100万円
電話番、送迎役の運転手など

広告費:40万円
風俗情報誌、夕刊紙、風俗専門求人情報誌など

- 店舗を持たないデリヘル経営は広告（お客向け&ヘルス嬢募集）が生命線
- チラシ貼りやポスティングは摘発される危険性大

諸経費:40万円
水道光熱費、通信費、営業車の維持費、ホームページ運営費、その他雑費

家賃:30万円

- 事務所と待機部屋
- 立地はラブホテルの近くが便利
- マンションなどに「プレイルーム」を持つのは違法

料金例

60分▶1万8000円
90分▶2万6000円
以後30分延長ごとに8000円
指名料▶2000円
交通費▶距離により1000〜5000円程度

※ホテル代はお客持ち
※キャンセル、チェンジの場合は交通費のみ請求
※コスプレ、特殊プレイ等は別途料金

開業に必要な届け出は？　無店舗型性風俗特殊営業 第1号

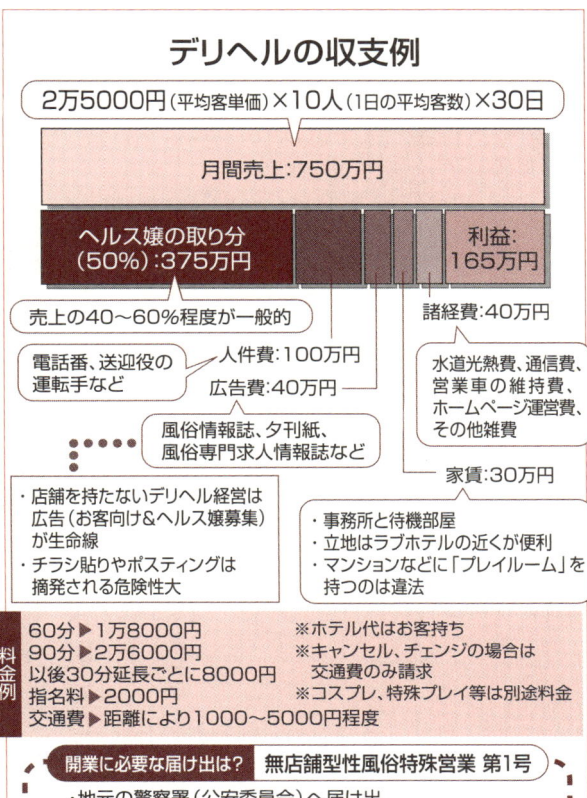

- 地元の警察署（公安委員会）へ届け出
- 届出者の住民票と身分証、事務所の賃貸契約書が必要
- 店舗型と違い、立地や営業時間の制限はとくになし

店舗型のヘルスやイメクラは規制が厳しく、既存の性風俗集中地域以外ではほとんど許可が下りない（届け出が受理されない）のが実情

◆社交ダンス教師

本人のランクと実績で、レッスン料に大きな開きが!

映画やテレビなどで取り上げられたこともあり、社交ダンス（正確にはボールルームダンスという）の知名度は高く、競技大会出場を目指す本格派から、趣味として楽しむ愛好家まで幅広く愛されている。

社交ダンスは、初心者が見よう見まねで踊れるものではないし、大会を目指す上級者なら、なおさら毎日の鍛錬が必要だ。どのレベルであっても、有資格者である**社交ダンス教師**の指導は欠かせない。

社交ダンス教師の収入はダンスのレッスン料ということになるが、その金額はまちまちだ。資格を取ったばかりの教師なら、**25分の個人レッスンで３０００円程度**。競技大会の**チャンピオンクラスなら、その倍以上**といったところ。月収15万がやっとという教師がいる一方、生徒数を増やして自分の教室を開く教師もいる。

最初から高収入は望まず、丁寧なレッスンを地道に続け、生徒の心をつかむことが大切だ。

インストラクターの収支の一例

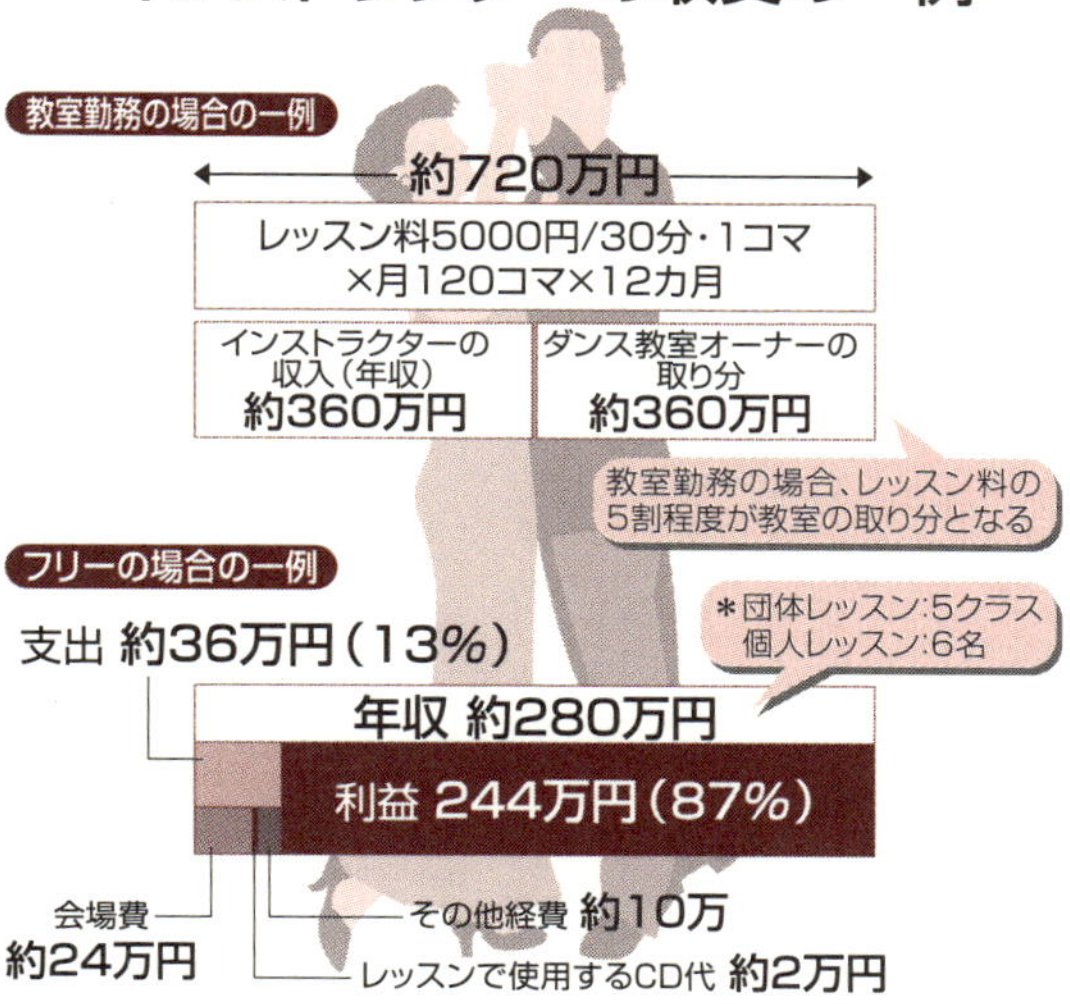

✿ 社交ダンス教師になるためには資格が必要。
財団法人日本ボールルームダンス連盟(JBDF)
[所管官庁:文部科学省]
・プロフェッショナル・ダンス・インストラクター
・商業スポーツ施設インストラクター
社団法人全日本ダンス協会連合会(ANAD)
[所管官庁:公安委員会]
・社交ダンス教師資格試験

✿ インストラクターの報酬（授業料）はランクなどによって左右されることが多い（JBDFの場合、競技会で上位10%に入ったインストラクターが「選手会」に登録され、そこで初めてランクがもらえる）

◆雀荘 「フリー」に参加して負けたら、従業員の自己負担

学生やサラリーマンのあいだで根強い人気を誇る麻雀。雀荘は、初期投資をしてしまえば経費の大部分は固定費となるため、立地条件に恵まれ、**ある程度の回転率をキープできれば、手堅い商売**になる。

雀荘の料金システムには、仲間4人で卓を借りて時間あたりの料金を支払う**「セット」**と、1人で行ってゲーム単位で料金を払う**「フリー」**がある。フリー客の数が足りないときは、従業員（メンバー）がゲームに参加するが、メンバーの**ゲーム代や負け分は、自己負担で給料から差し引かれる**のが一般的。勝てば給料以上に稼げる理屈だが、負けが込んで月収がマイナスということもある。つまり、**適度に弱いメンバーは、お客にとってはおいしい「カモ」、お店にとっては貴重な固定客**というわけだ。

お店を流行らせるためには、メンバーの接客マナーや飲食サービスを向上させたり、プロの雀士や女性メンバーを採用するなどの経営努力が必要。最近は短時間で勝負がつく「東風戦」が人気だが、卓の回転率が上がるため、お店にとっても好都合だ。

雀荘の収支例

（8卓、4人打ちの店の例）

料金
フリー ▶ 1ゲームにつき1人500円
セット（貸し卓）▶ 1卓につき1時間2000円

1日あたり売上
フリー ▶ 500円×4人×45ゲーム＝ 9万円
セット ▶ 2000円×18時間＝ 3万6000円
12万6000円

月間売上：315万円（1日12万6000円×25日）

人件費：180万円
家賃：25万円
水道光熱費：8万円
広告費：6万円
諸経費：20万円
利益 76万円

従業員（メンバー）は、フリー客の人数が足りないときはゲームに参加するが、そのときのゲーム代や負け分は自腹で負担

- 経費は固定費が大部分なので、卓の回転率が上がれば利益も大幅アップ
- 勝負が早くつくので人気の「東風戦」（東場のみで終了するルール）は、時間あたりのゲーム数が増えるので店側にとっても好都合

商売繁盛のための工夫

- プロや女性アルバイトをメンバーに採用
- フリードリンク制（場合によっては食事も無料サービス）
- 成績に応じた各種賞（役満賞、連勝賞、月間賞等）
- ポイントカード、サービス券の発行など

全自動麻雀卓の値段は？

点数・点棒計算機能あり
▶約100万円
点棒計算機能あり
▶約50万円〜
点数・点棒計算機能なし
▶約30万円〜

商売の「裏」がわかるコラム❹

新車は「人気色」、中古車は「不人気色」がお買い得?

クルマ選びのポイントで欠かせないのが、ボディカラー。

新車の場合はどの色でも値段に大して差はないが、中古車の場合は、価格を決める大きな要素になる。

新車を購入する際は、数年後の買い替えで下取りに出すことを考えて、人気色を選んでおくのがベター。色によって、下取りの査定価格に数十万円も差が出ることもある。

中古車のユーザーは比較的若い世代が多いので、若者受けする色のほうが高い下取り価格が付きやすい。

人気色といってもとくに絶対的な基準があるわけでなく、時代とともに変わってくるが、シルバーやパール、ホワイトなどが無難といえる。

ただし、シルバーは最近、人気が過剰気味な傾向もあり、車種によっては値段が下がるケースも出ている。ディーラーに人気色を確認しておいたほうがいいかもしれない。

これを逆から見ると、中古車を購入する際は、不人気色が割安でお買い得ということになる。同じ年式の人気色と比べると1割以上安いこともある。不人気色にも絶対の基準はないが、茶系やダークグレーなど、渋めの色がねらいめといえそうだ。

5章

身近な商品、その原価の謎

こんなところに意外なお金が……

◆メガネ

「3プライス制」の登場！ 原価はいったいいくら？

かつてメガネといえば、3万円、4万円があたりまえの高い買い物だった。1人1人に合わせて作るからコストがかかるのだろうが、その価格システムに不透明感を感じていた人は少なくないだろう。

そんなメガネ業界に大変動をもたらしたのが、2001年にアパレル業界から参入したメガネチェーン「Zoff（ゾフ）」。業界の常識を打ち破った一式5000円、7000円、9000円という「3プライス制」は、たちまち大反響を呼んだ。従来のメガネ店と違い、商品回転率を上げて薄利多売に徹する商法だ。

レンズはアジア一のメガネ大国といわれる韓国製を使い、フレームは自社でデザインして中国の工場に大量発注。これらを返品なしですべて買い取ることで大幅なコストダウンを実現した。

この「Zoffショック」により、メガネ業界は激しい低価格競争に突入した。ただ、競争の過熱化で予想外の苦戦を強いられている店も少なくないようだ。

“価格破壊”──いかにして価格を下げたか？

従来のメガネ

一式3万～4万円、粗利率50～60％程度が普通
（高粗利率、少量販売の典型的商品）

「高粗利率、少量販売」から「低粗利率、大量販売」への転換
（1点あたりの利益は少なくなっても、商品回転率を上げることで従来以上の利益が得られる）

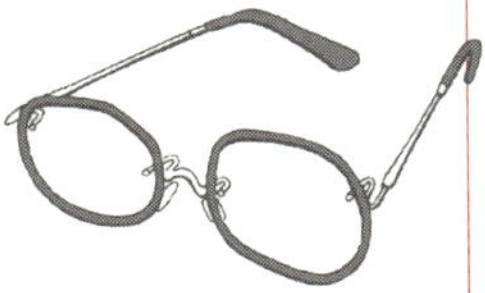

激安店の登場

3プライス方式
（一式5000円、7000円、9000円など）

コストダウンのための工夫

レンズ ●●●●●● 韓国製を使用
フレーム ●●●●● 自社でデザイン、中国の工場で委託生産
（大量発注し、すべて買い取る）

メガネ業界の市場規模
約6000億円

メガネ店の数
約1万5000～1万6000店

◆コンタクトレンズ

薄利多売の使い捨てレンズは「診療報酬」で稼ぐ

日本のコンタクトレンズユーザーは約１２００万人、ケア用品を含めた市場規模は３２００億円以上といわれ、今後まだまだ増えると見られている。

コンタクトレンズは薬事法で医療用具に定められているため、医師の処方箋がないと購入できないことになっている。たいていの量販店には提携した眼科が隣接し、土曜・日曜でも検査やレンズ購入ができることが多い。合理的で、買う側にとって便利ではあるが、じつはこのシステムがくせ者だ。

最近は使い捨てレンズが人気だが、価格競争が激しいため、レンズ自体の利幅は非常に薄い。しかし、レンズを追加購入するたびに眼科医による診察が行なわれることが多く、７０００～８０００円程度の診療報酬が健康保険などから入る。

一方、使い捨てでない従来型レンズの場合は、定期的な診療報酬は期待しにくいが、使い捨てタイプより１枚あたり価格が高いぶん、利益率は高め。なお、いずれのタイプもレンズの材料費が占める割合は低く、加工費、研究開発費、販売費などが大きい。

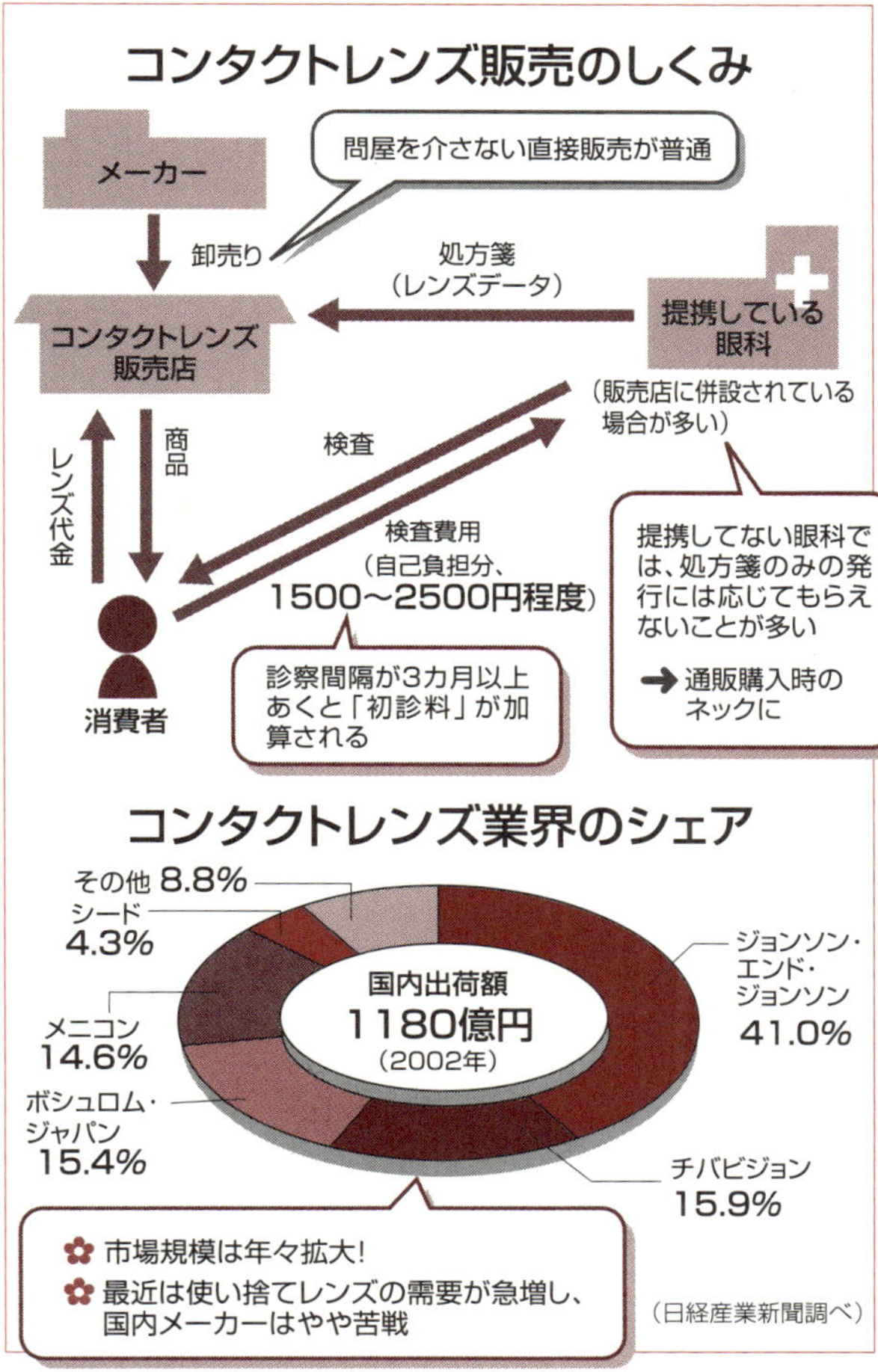
コンタクトレンズ販売のしくみ
メーカー
問屋を介さない直接販売が普通
卸売り
処方箋
（レンズデータ）
コンタクトレンズ
販売店
提携している
眼科
（販売店に併設されている
場合が多い）
レンズ代金
商品
検査
検査費用
（自己負担分、
1500～2500円程度）
提携してない眼科では、処方箋のみの発行には応じてもらえないことが多い
➜通販購入時の
ネックに
消費者
診察間隔が3カ月以上あくと「初診料」が加算される
コンタクトレンズ業界のシェア
その他 8.8%
シード
4.3%
メニコン
14.6%
ボシュロム・
ジャパン
15.4%
国内出荷額
1180億円
（2002年）
ジョンソン・
エンド・
ジョンソン
41.0%
チバビジョン
15.9%
市場規模は年々拡大!
最近は使い捨てレンズの需要が急増し、国内メーカーはやや苦戦
（日経産業新聞調べ）

◆音楽ＣＤ

作詞家・作曲家・歌手の「印税」はどうなっている？

１枚のＣＤには作詞家、作曲家、歌手、アレンジャー、プロデューサーなど、さまざまな人たちがかかわっているため、その売上の分配も複雑になる。

一般にレコード会社は、ＣＤの売上のうち一定の方式で計算される額（おおむね**定価の６％**）を**「著作権使用料」**として、著作権使用料を管理する唯一の機関である**ＪＡＳＲＡＣ（日本音楽著作権協会）**に納める。

ＪＡＳＲＡＣは、**７％の手数料**を差し引いた残りを、著作権を管理しプロモーション活動を行なう**「音楽出版社」**へ**著作権印税**として支払い、これが、音楽出版社と作詞家、作曲家とのあいだで、契約に従って分配されることになる。

歌手に対しては**「歌唱印税」（アーティスト印税）**が支払われる。業界独自の計算式に基づき、ＣＤ１枚の定価の**１～３％程度**がレコード会社から歌手の所属プロダクションに支払われるのが一般的だ。

同じ印税でも、出版の場合に比べるとずいぶんと複雑なシステムといえる。

印税（著作権使用料）支払いの流れ

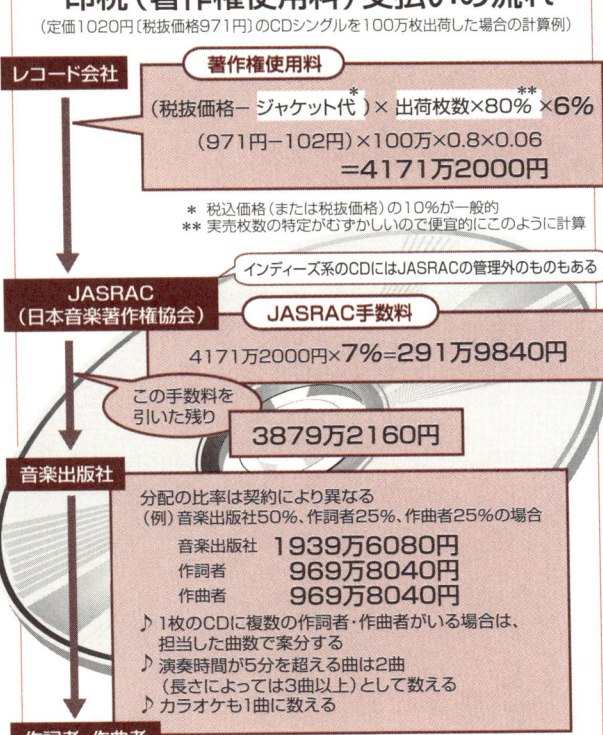

（定価1020円〔税抜価格971円〕のCDシングルを100万枚出荷した場合の計算例）

レコード会社

↓

著作権使用料

（税抜価格－ジャケット代*）×出荷枚数×80%** ×**6%**

（971円－102円）×100万×0.8×0.06

＝4171万2000円

* 税込価格（または税抜価格）の10%が一般的
** 実売枚数の特定がむずかしいので便宜的にこのように計算

インディーズ系のCDにはJASRACの管理外のものもある

JASRAC
（日本音楽著作権協会）

↓

JASRAC手数料

4171万2000円×**7%**=**291万9840円**

この手数料を引いた残り　**3879万2160円**

音楽出版社

↓

分配の比率は契約により異なる
（例）音楽出版社50%、作詞者25%、作曲者25%の場合

音楽出版社	**1939万6080円**
作詞者	**969万8040円**
作曲者	**969万8040円**

♪ 1枚のCDに複数の作詞者・作曲者がいる場合は、担当した曲数で案分する
♪ 演奏時間が5分を超える曲は2曲（長さによっては3曲以上）として数える
♪ カラオケも1曲に数える

作詞者、作曲者

これ以外に、演奏者（歌手）に対し**歌唱印税（約1～3%）**が支払われるほか、制作形態や契約内容によっては、**原盤印税（約10～12%）**、**編曲印税**、**プロデューサー印税**なども支払われる

◆ミネラルウォーター

ガソリンより高い、日本のミネラルウォーター

水道水の味の低下や安全性への不安から、**ミネラルウォーター**の売上は着実に伸び続けていて、「水は買って飲むもの」という意識はすっかり定着した。それでも、欧米に比べればまだまだ消費量は少なく、今後もさらに市場拡大が予想されている。

ひと口にミネラルウォーターといっても、国際的にみると、その定義には地域による違いがある。**日本やアメリカでは、採取した水を除菌・殺菌**することが前提となっているのに対し、**EU諸国では、元の水にいっさい手を加えない**のが原則で、除菌・殺菌などの処理を施したものは**「プロセスド・ウォーター」**と呼ばれ、ミネラルウォーターとしては認められていない。その代わり、水源の水質や周辺環境の管理基準はより厳格に定められている。

日本では、ミネラルウォーターの値段はガソリンより高い。水自体の値段はあってないようなものだが、採水にかかる費用や運送費が製造コストの大きな割合を占めているという。市場規模の小ささも、値段を押し上げる要因になっているようだ。

日本のミネラルウォーター市場

（2002年）

年間消費量　137万4578キロリットル
（国民1人あたり10.8リットル
＝EU諸国の10分の1程度）

- **国産**　111万500キロリットル
- **輸入**　26万4078キロリットル

国内の最大産地は山梨県

ミネラルウォーターの輸入相手国

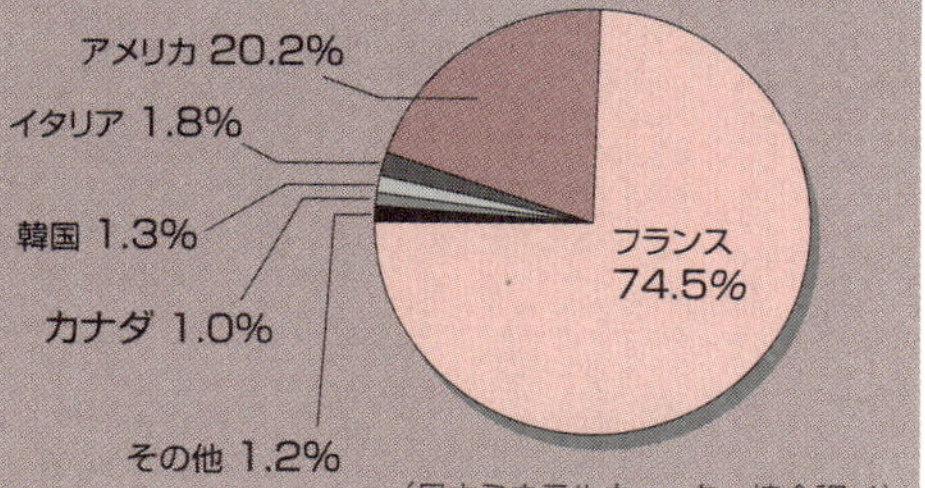

（日本ミネラルウォーター協会調べ）

日・米・欧のミネラルウォーターの違い

日本、アメリカ

原水を加熱殺菌、または同等以上の効力のある方法（沈殿、ろ過など）で殺菌するのが原則

EU

原水にはいかなる殺菌・除菌処理も行なわないのが原則。同時に、水源地周辺の汚染防止について厳格な管理が要求される

現地（パリのスーパーマーケット）での販売価格例

「エビアン」
（ペットボトル入り）

500ミリリットル … 約40円
1.5リットル　　 … 約110円

◆卵 40年前と値段が変わらない秘密は？

卵の値段は、過去40年以上値上がりしていないばかりか、安くさえなっているため、**「物価の優等生」**と呼ばれている。この間、養鶏業界は大きな変化を遂げ、１９５５年には４５０万戸余りあった養鶏農家は２０００年には４８９０戸と１０００分の１近くに減った一方、鶏卵の生産量は約36万トンから２５０万トンに増えている。

この数字からもうかがえるように、現在では、エサや水の管理からパッキングまで、コンピューターによる管理システムで極限まで省力化された、**1戸あたり10万羽以上を飼育**する大規模養鶏農家が主流となっている。

徹底した合理化と大規模化、安い輸入飼料をガンガン与えてハイペースで卵を産ませて薄利多売に徹する**「ケージ飼い」**によって、鶏卵の安定安値は支えられてきた。

一方、鶏が自由に歩きまわれるような飼育環境で育てる、昔ながらの**「平飼い」**も健在だ。平飼いはケージ飼いより生産効率が数段落ちるため、卵の価格は数倍高くなるが、栄養価の高さとおいしさが評価され、根強い人気を保っている。

卵の値段と物価指数

1年のうちでは**7～8月と年末年始に価格が下がる傾向**
（夏場の食欲減退、学校給食の休止、帰省による大都市圏の人口減などのため）

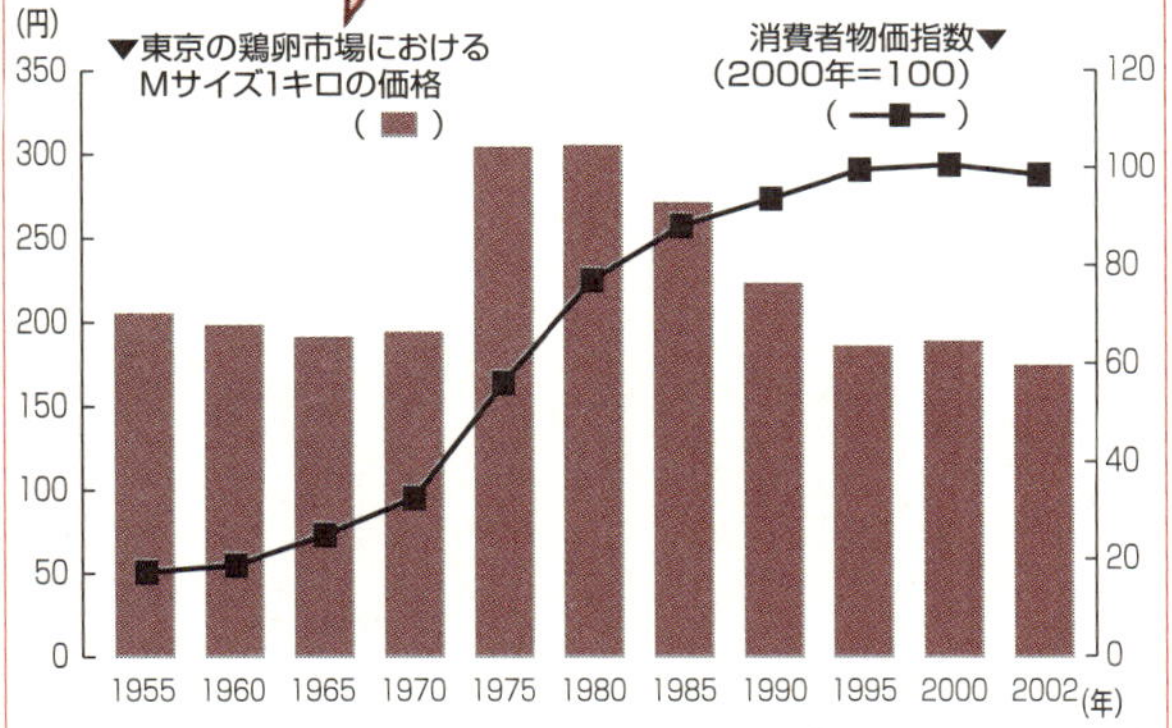

（農林水産省「鶏卵流通統計」、総務省統計局「消費者物価指数年報」）

安い値段で安定供給できるわけは?

- 生産体制の合理化・大規模化
- 品種改良による1羽あたり産卵量の増大
- 安い輸入飼料の利用
- 政府・公的団体による価格補塡制度・需給調整制度

鶏をケージに入れずに自由に動きまわれるようにする「平飼い」だと、コストは「ケージ飼い」よりかなり高くなる

生産コストの内訳

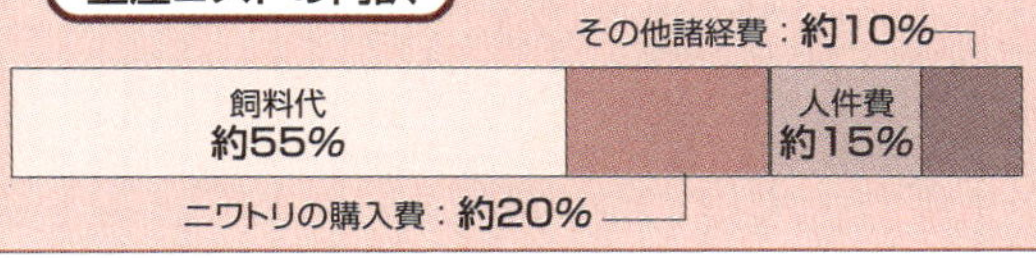

◆トイレットペーパー

再生紙VSバージンパルプ――どちらがより低価格?

トイレットペーパーには大きく分けて、**再生紙**を利用したものとバージンパルプを利用したものがある。森林保護とゴミ問題への配慮を考えれば、再生紙のトイレットペーパーを使うのが望ましいことは、誰しも認めるところだ。

しかし、現実にスーパーなどの店頭に特売品として山積みされている大手メーカーのトイレットペーパーは、大部分がバージンパルプ使用のもの。しかも、**バージンパルプ使用品は年々増える傾向**にある。

一方の再生紙使用品は、原料となる古紙自体の調達コストは安くてすむが、回収や再生にかかる費用が全体の製造コストを押し上げている。それでも、再生紙を利用している中小メーカーはコスト削減の努力を重ね、平均価格ではバージンパルプ使用品より低価格を実現している。ただ、特売品で値段が安いとなれば、紙質が柔らかくて使用感にまさるバージンパルプ使用品に消費者の手が伸びるのはもっともなことで、再生紙使用品は苦戦を強いられている。

再生紙を使っても、それほど安くならない

大手メーカー

バージンパルプ使用

（木材の輸入先はオーストラリア、アメリカなど）

➜ 紙質柔らかめ

中小メーカー

再生紙使用

（OA用紙、カタログ、パンフレット、牛乳パックなどの上質古紙を再生）

➜ 紙質硬め

メーカーの利益率
（売上高対総利益率）
平均24%

古紙の値段自体は安いが、回収コスト、再生コスト、設備費などがかかるので、トータルではバージンパルプ使用品とのコスト差はかなり縮まる

古紙1トン ＝ 樹齢20～30年の木×30本 ＝ トイレットペーパー65m巻×約5000ロール

再生紙使用品とバージンパルプ使用品の比率

	再生紙使用品	バージンパルプ使用品
1985年	84%	16%
1990年	77%	23%
1995年	69%	31%
2000年	67%	33%

バージンパルプ使用品が少しずつ増加の傾向

（全国家庭用薄葉紙工業組合連合会の推計）

トイレットペーパーの平均価格（東京都内における平均価格）

販売店舗	再生紙使用品（12個入り）	バージンパルプ使用品（12個入り）
一般小売店	284円	437円
スーパーマーケット	303円	440円
生協・農協	281円	397円
ディスカウントストア	305円	389円
コンビニエンスストア	375円	531円

（東京都生活文化局「重要商品価格等動向調査（平成13年度年次集計）」）

◆紙おむつ

市場規模2700億円、今後の主役は「大人用」

赤ちゃんのおむつの世界に初めて「紙おむつ」が現れたのは、日本では１９６１年のこと。Ｐ＆Ｇ社が切り開いた市場はその後も順調に拡大を続けたが、普及が進んだ現在では飽和状態となり、**大手3社がパイの奪い合い**をくり広げている。

テープで止めるタイプからパンツタイプへの転換、「むれ、かぶれ防止」などの高機能化、新生児用おむつの開発といったトレンドはあるものの、**進行する少子化**の前に、大きな市場の伸びは期待できそうにない。そこで、**アジアなど未開拓の海外市場**へ活路を見出す動きもある。

一方、高齢化社会の到来により、**大人用の紙おむつ**の需要は大きく伸び続けている。使用する側には心理的抵抗感がまだ根強いようだが、下着感覚で履けるパンツタイプや、下着の中に入れる失禁用パッドなど、要介護状態でもなるべく自立できるように、心理的負担を軽減できるようにと工夫された商品の開発が急速に進んでいる。乳幼児用が飽和状態の現在、各メーカーは、大人用製品の開発・販売に力を入れ始めている。

紙おむつの生産量

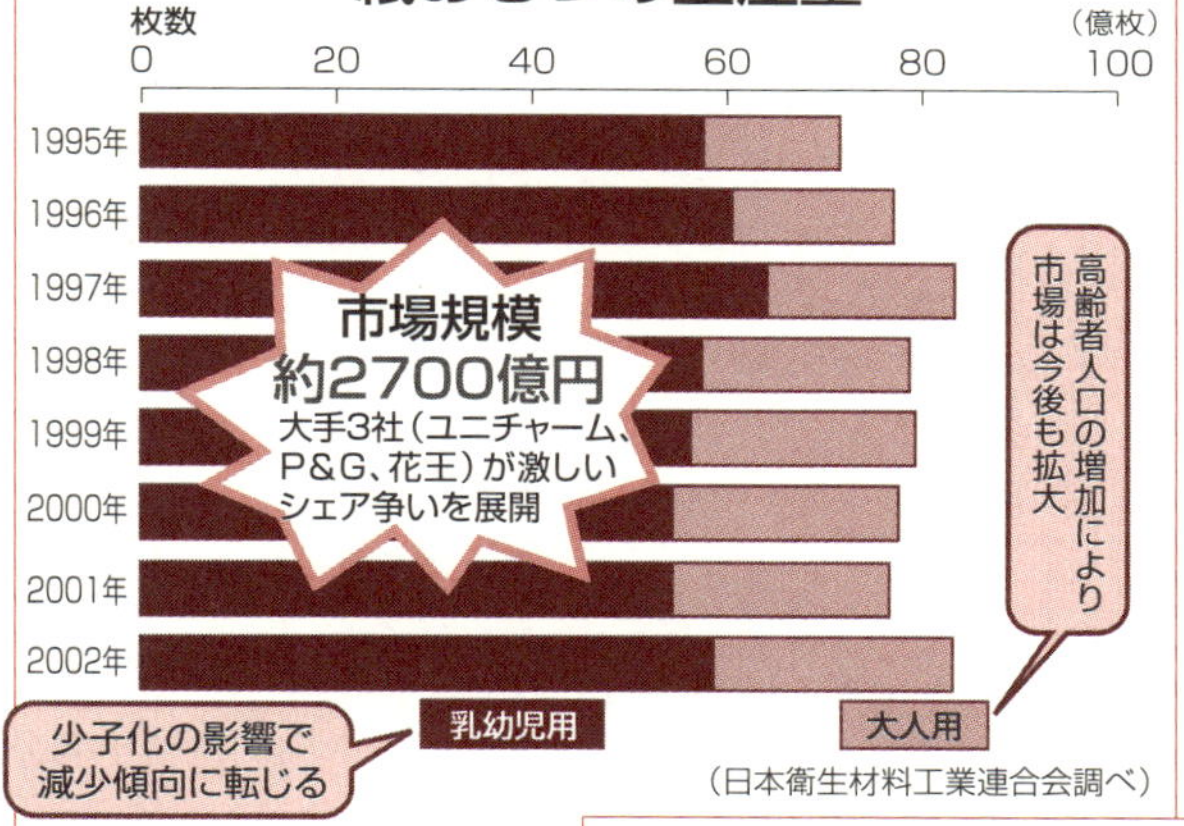

(日本衛生材料工業連合会調べ)

今後の課題は?

乳幼児用

布おむつからの転換による需要増はあまり見込めず、市場は飽和状態

↓

- ✿ 付加機能による差別化(むれない／漏れない／かぶれない／子供が喜ぶかわいいデザイン など)
- ✿ アジアなど海外市場への進出

大人用

おむつを使うことに抵抗を感じている層がまだまだ多い

↓

乳幼児用と同様の付加機能のほか、利用者本人の精神的負担を軽減するような工夫も必要(本人でも簡単に装着可能／交換回数が少なくてすむように長時間着用可能　など)

紙おむつの平均価格

(東京都内における平均価格)

販売店舗	乳幼児用(Mサイズ66枚)	大人用(パンツタイプ、Mサイズ15枚)
一般小売店	1441円	2069円
スーパーマーケット	1379円	2079円
生協・農協	1248円	−
ディスカウントストア	1497円	2052円
コンビニエンスストア	1790円	−

(東京都生活文化局
「重要商品価格等動向調査(平成13年度年次集計)」)

大人用の紙おむつ購入費を節約する裏ワザ

大人用の紙おむつは、介護用品として医療費控除の対象となる。また、寝たきりの高齢者を対象に紙おむつの購入費用を補助している自治体も多い

◆レンズ付きフィルム

回収率70%！　究極のリサイクル製品

　カメラとフィルムが一体化した**レンズ付きフィルム**は、その手軽さ、便利さが受けて、俗に「使い捨てカメラ」と呼ばれる大ヒット商品となった。しかし、環境問題に関心が高まっている時代に「使い捨て」はイメージが悪い。そこで業界では、「レンズ付きフィルム」の一般名称が定着するよう広報に努めるとともに、使用ずみ製品の部品を再使用する**「循環生産システム」**を開発した。

　製品の性質上、ユーザーはレンズ付きフィルムの本体ごと現像に出すので、回収方法に頭を悩ませる必要はない。当初は、各部品の細かい仕分けなど、手作業に頼る工程も多かったというが、再使用しやすいように製品の素材や構造を改良し、現在ではほとんどの工程で自動化が実現している。**部品はほぼ１００％再利用可能**という。

　このシステムの確立には膨大な手間とコストがかかったが、環境問題に配慮しているとして製品イメージは確実にアップした。大局的に見れば、この投資はメリットのほうが大きかったといえるだろう。

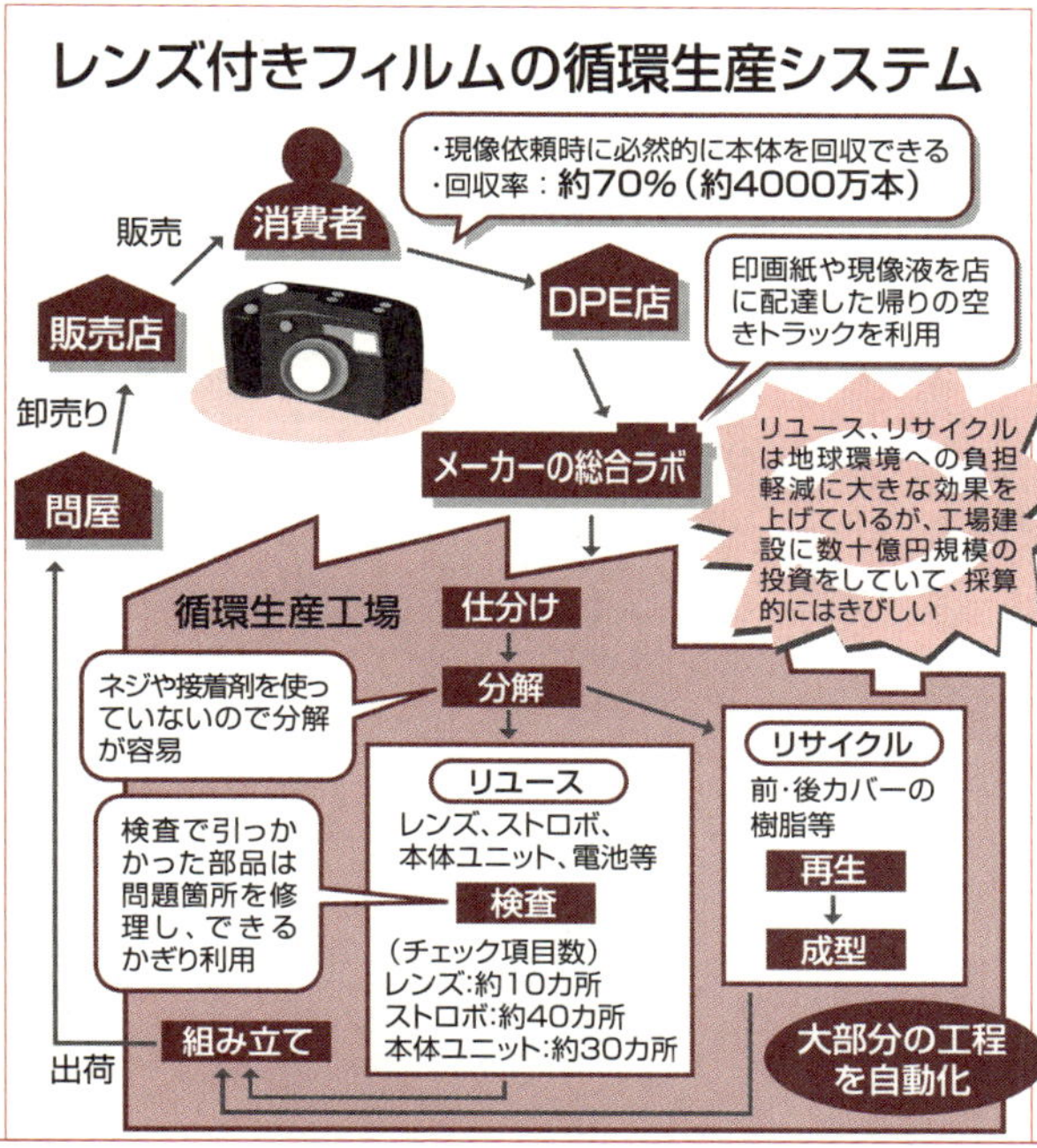
レンズ付きフィルムの循環生産システム
・現像依頼時に必然的に本体を回収できる
・回収率：約70%（約4000万本）
販売
消費者
DPE店
印画紙や現像液を店に配達した帰りの空きトラックを利用
販売店
卸売り
メーカーの総合ラボ
リユース、リサイクルは地球環境への負担軽減に大きな効果を上げているが、工場建設に数十億円規模の投資をしていて、採算的にはきびしい
問屋
循環生産工場
仕分け
分解
ネジや接着剤を使っていないので分解が容易
リユース
レンズ、ストロボ、本体ユニット、電池等
リサイクル
前・後カバーの樹脂等
再生
成型
検査で引っかかった部品は問題箇所を修理し、できるかぎり利用
検査
（チェック項目数）
レンズ:約10カ所
ストロボ:約40カ所
本体ユニット:約30カ所
大部分の工程を自動化
出荷
組み立て

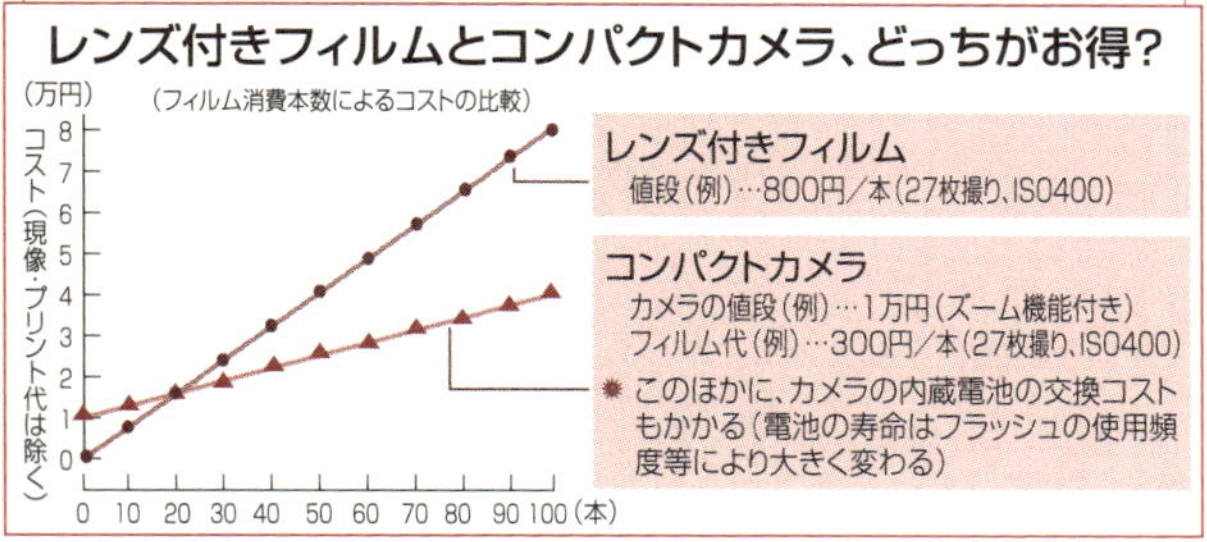
レンズ付きフィルムとコンパクトカメラ、どっちがお得？
（万円）
（フィルム消費本数によるコストの比較）
コスト（現像・プリント代は除く）
8
7
6
5
4
3
2
1
0
0 10 20 30 40 50 60 70 80 90 100（本）
レンズ付きフィルム
値段（例）…800円／本（27枚撮り、ISO400）
コンパクトカメラ
カメラの値段（例）…1万円（ズーム機能付き）
フィルム代（例）…300円／本（27枚撮り、ISO400）
✱ このほかに、カメラの内蔵電池の交換コストもかかる（電池の寿命はフラッシュの使用頻度等により大きく変わる）

◆冷凍食品

安売り競争で利益率低下が業界の悩み

右肩上がりに伸び続けてきた冷凍食品の生産量が、２０００年、ついに前年を下まわった。不況の影響で、**全体の7割を占める業務用冷凍食品**の需要が減ったことや、コスト削減のため工場の海外移転が進んだことなどが原因とされる。とはいえ、食卓にすっかり定着した冷凍食品の市場自体は、今後も拡大する余地があると見られる。

ただ、ヒット商品が出るとすぐに後追いの類似製品がたくさん出てきてスーパー店頭での**安売り競争になり、販売量が増えても利益に結びつかない**という結果になりがちなことが、業界が抱える悩みとなっている。スーパーで定期的に行なわれる特売セールでは4割から5割引きがあたりまえという現状に、「通常価格で買うのはバカバカしい」との認識も消費者に浸透しつつある。

２００２年には、中国から輸入された冷凍野菜の残留農薬問題が明らかになり、食の安全を求める消費者の不安の声が高まった。今後は、味や値段だけでなく、安全性への配慮も、消費者に選ばれる条件になってくるだろう。

冷凍食品業界のシェア（2001年）

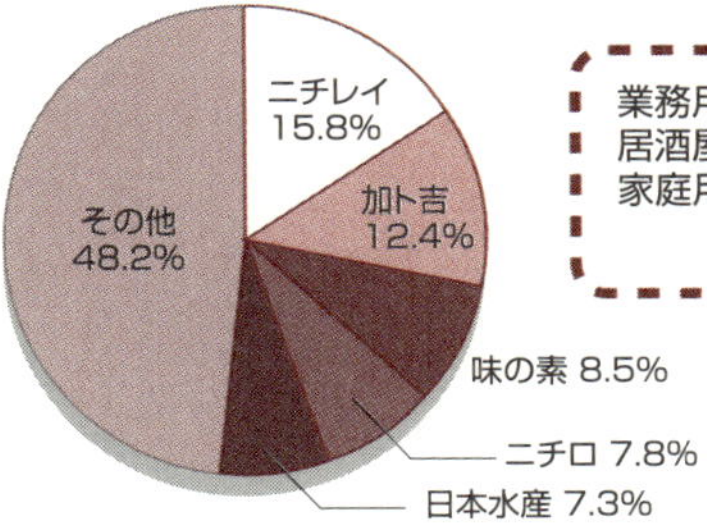

業務用（ファミレス、居酒屋など）と家庭用の比率は
7:3

（日経産業新聞調べ）

国民1人あたり年間消費量の比較

（2001年）

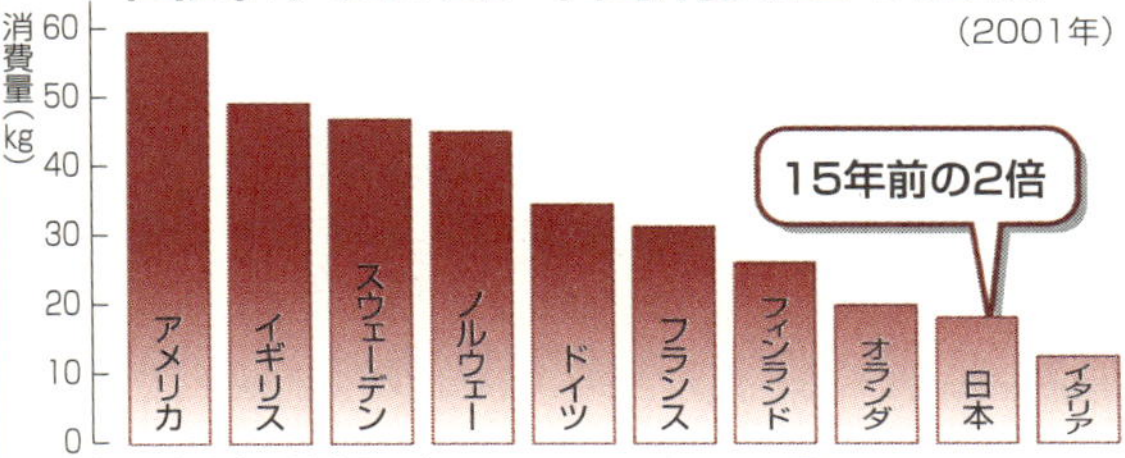

（日本冷凍食品協会調べ）

業界の悩み

スーパー等における特売（3～5割引）が常態化し、メーカーの収益を圧迫

↓

- コストの低減（海外工場での生産）
- 安売り競争に巻き込まれることのない、独自性のある商品の開発

冷凍食品の生産数量・上位10種

（2002年）

1. コロッケ
2. うどん
3. ピラフ
4. カツ
5. ハンバーグ
6. 魚類
7. 菓子類
8. 卵製品
9. シュウマイ
10. ミートボール

（日本冷凍食品協会調べ）

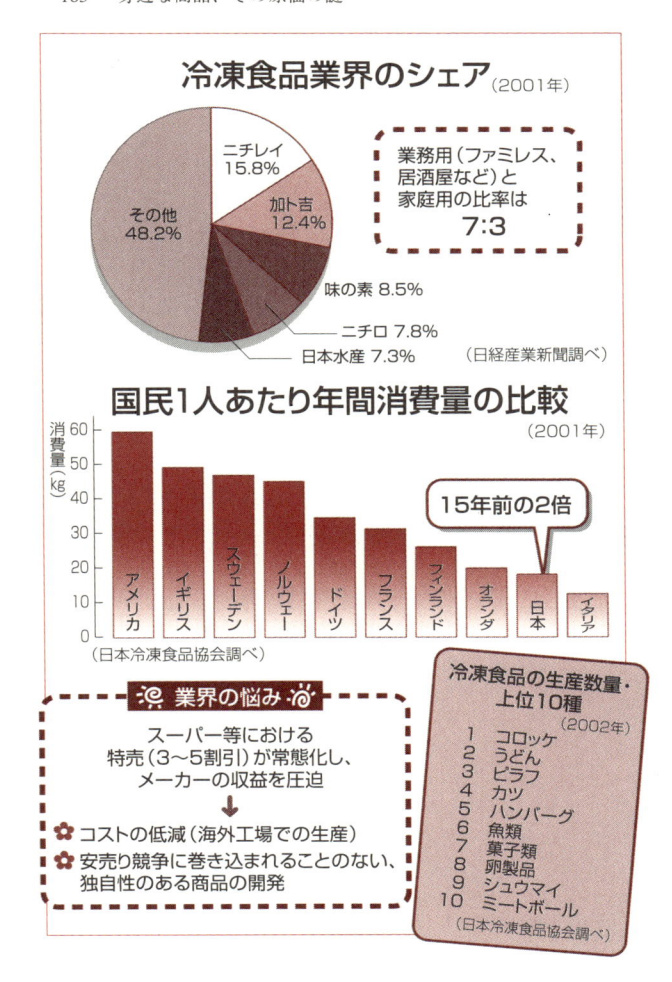

◆便器

新規設置よりもトイレのリフォームで売上アップを

シャワートイレ（温水洗浄便座）の代名詞ともなった「ウォシュレット」がブレイクしたのは1982年。以後、着実に普及が進み、現在、**温水洗浄便座の普及率は47・1%**にまで達している。衛生陶器（便器、洗面台）全体の販売量シェアでは、業界トップの**TOTOと2位のINAXの2大メーカーで90%以上**を占めている。

便器というのはひんぱんに取り替えるものではないため、**住宅建設着工数の増減が便器の販売量に大きく影響する**。しかしここ数年、着工数は減少傾向にあり、今後もさほど増えそうにない。そこで、売上アップを図るためには、温水洗浄便座への取り替え需要がねらい目となる。ただ、便器単体の販売だけでは利益もかぎられるため、**トイレ全体のリフォームを請け負うことで単価を引き上げ**ようという方向にある。

また、シャワートイレの機能面では、基本性能はすでに成熟しているものの、抗菌加工や防汚加工、節水機能、水タンクの省スペース化など、より快適さを高めるための製品開発競争が、2大メーカーを中心にまだまだ続けられている。

衛生陶器（便器・洗面台）業界のシェア

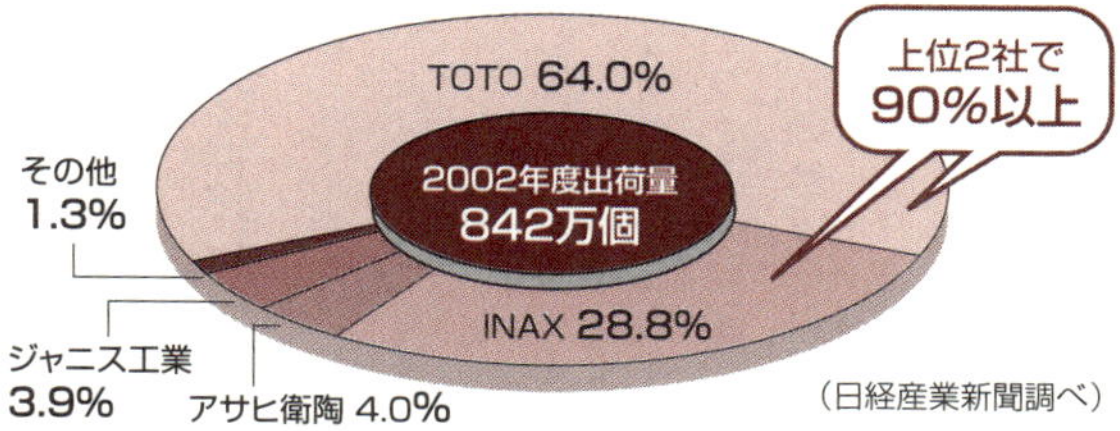

（日経産業新聞調べ）

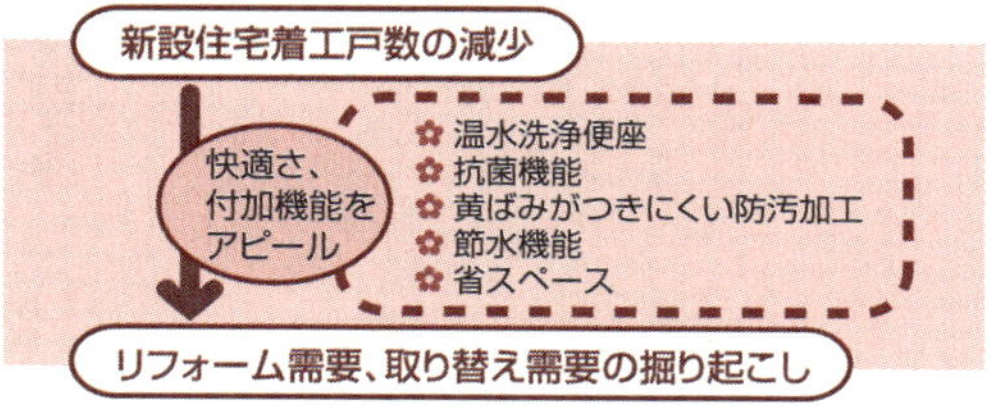

衛生陶器出荷量と新設住宅着工戸数

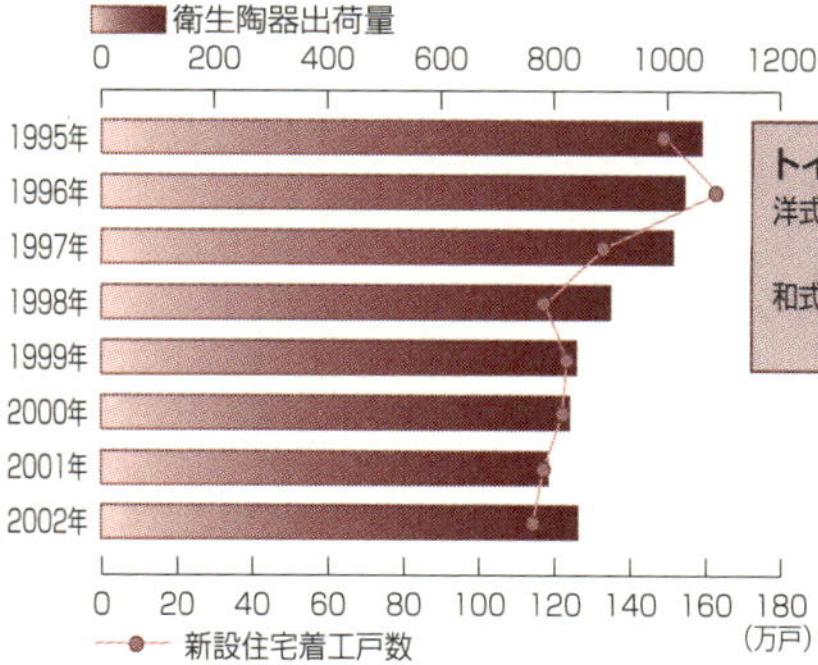

（衛生陶器出荷量:日経産業新聞調べ、新設住宅着工戸数:国土交通省 住宅着工統計）

トイレリフォームの料金例

洋式便器の取り替え工事（一式）
9万円～

和式→洋式への改装工事（一式）
15万円～

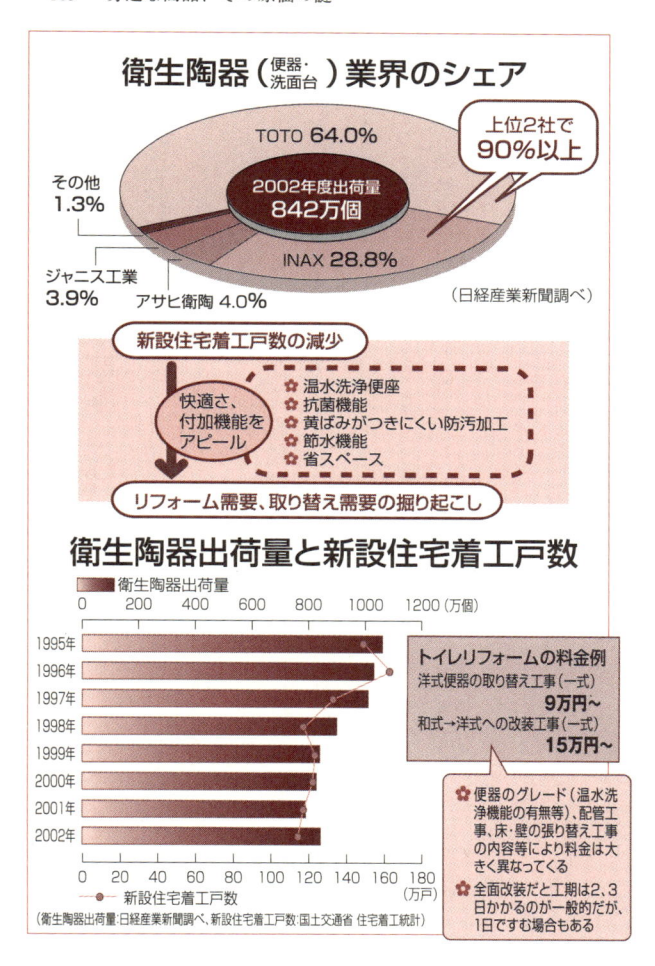

- 便器のグレード（温水洗浄機能の有無等）、配管工事、床・壁の張り替え工事の内容等により料金は大きく異なってくる
- 全面改装だと工期は2、3日かかるのが一般的だが、1日ですむ場合もある

◆ペットフード

原価率は20％？ 安全基準もないのが現状

人間の世界の不景気をものともせず、ペットフード市場はグルメ志向、ナチュラル志向などと多様化しながら年々成長している。ワンちゃんネコちゃんに愛情を注ぐ飼い主が聞いたら驚くかもしれないが、ペットフードは法的には人間が食べる「食品」ではないし、家畜が食べる「飼料」でもない。したがって、「食品衛生法」にも「飼料の安全性の確保及び品質の改善に関する法律」にもしばられないため、**安全性や品質についての基準は何もない**のが現状だ。

ペットフードの**原価率は20％程度**といわれている。量販店で大安売りされているペットフードの値段を見ても、原価は相当安く抑えられていると推測される。業界団体であるペットフード公正取引協議会が成分表示を義務付けているが、表示の基準は基本的にはメーカーに委《ゆだ》ねられている。「ミートミール」「ミートボーンミール」「副産物」などの名で、人間の食用としては使えないタダ同然の**「4Dミート」**が使われている可能性は十分あるし、発ガン性が疑われる添加物が検出された例もある。

ペットフードはなぜ安い?

人間がペットの肉を食べることはない

↓

ペットフードに安全基準は不要

↓

人間の食用に適さない原材料でも使用OK

↓

大幅なコストダウンが可能!

ペットフードの市場規模

約2500億円
（出荷額ベース）

いわゆる「4Dミート」も使用可能

Dead（死んだ）
Dying（死にかけた）
Diseased（病気になった）
Disabled（負傷した）

原材料表示のカラクリ

（表示例）
原材料：鶏肉、粗挽き米、米グルテン、米ぬか、米粉、鶏肉副産物、動物性油脂

原材料は重量の大きい順に表記するのがきまり

しかし

↓

同じような原材料でも、名称が異なれば分けて表記してよい

↓

メインに使われている穀類の表示順位を下げ、肉類の表示を先頭に持ってくる“トリック”が可能に

脳、肺、腎臓、血液、骨など、人間向けの食用としてはあまり使われない、肉以外の部分

商売の「裏」がわかるコラム⑤

低価格化の流れに乗れず苦戦する「地ビール」

1994年、ビール製造免許の取得に必要な最低生産数量が大幅に引き下げられた。この規制緩和を機に、各地で「地ビール」が生産されるようになり、一時は全国的なブームになった。

しかし、消費低迷の影響で大手ビールメーカーが発泡酒の開発・販売に力を入れ低価格競争を始めると、割高感のある地ビールはたちまち売上ダウン。中小メーカーが多いこともあってそのダメージは大きく、経営不振から廃業に追い込まれるケースも出ている。

業界では、中小ビール業者に対してはアメリカのように酒税の軽減処置を取るよう、政府に働きかけているが、それだけでは問題は解決しないという声もある。

販売ルートを確保しないまま各地に業者が乱立したことや、テーマパークの集客に依存した事業展開なども反省材料だ。

最近はアルコール飲料の世界でも低価格商品ばかりが注目されているが、価格より個性や品質を求めるビール愛好者は多い。この苦境を乗り切って、おいしい地ビールを作り続けてほしいものだ。

6章

知っているようで知らない？料金のカラクリ

その値段になるにはワケがある！

◆新聞

広告料金、いったいいくら?――読売・朝日・毎日・日経

新聞の売上は、販売収入と広告収入とで成り立ち、その割合はほぼ半々。企業が新聞に使う**広告費は年間1兆円**を超えるという。数秒のテレビCMでは商品イメージを伝えるだけで精いっぱいだし、雑誌はターゲットが限定されてしまう。その点、新聞広告は、文章や写真を組み合わせたくわしい情報を、幅広い層に向けて発信できる。**広告料金は、だいたい講読数に比例**した設定となっている。各新聞社が熾《し》烈《れつ》な販売競争をくり広げる背景には、発行部数が増えると、販売収入だけでなく広告の注文も増え、料金単価を上げられるなど、広告収入増にも直接影響が出るという事情がある。

さらに、同じ新聞でも、掲載面により料金の違いがある。地方版より全国版、商況面より1面や社会面というように、**読者数や接触率（読まれる率）の高い紙面のほうが値段も高い**。ページ内の掲載位置や回数、時期なども、値段を決める大きな要素だ。

ちなみに、郵便法で**広告の比率は紙面の50％以下**と定められているので、むやみに広告を増やすことはできない。ただし、求人広告や意見広告は記事と同じ扱いとなる。

新聞広告の料金例

（全国紙の全国版にモノクロ広告を単発で掲載する場合の例）

1面・題字横／題字下

読売 **179万5000円** （題字横、幅7.4cm×高さ1段）
朝日 **149万9000円** （題字下、幅3.9cm×高さ5.7cm）
毎日 **96万7000円** （題字下、幅7cm×高さ1段）
日経 **86万5000円** （題字下、幅3.2cm×高さ2段）

1面・記事中

読売 **165万7000円** （幅7.4cm×高さ1段）
朝日 **146万4000円** （幅7cm×高さ1段）
毎日 **81万円** （幅7cm×高さ1段）
日経 **75万2000円** （幅7cm×高さ1段）

1面・突き出し

読売 **270万2000円** （幅5.4cm×高さ3段）
朝日 **210万円** （幅4cm×高さ3段）
毎日 **161万8000円** （幅5.25cm×高さ3段）
日経 **76万8000円** （幅5.25cm×高さ2段）

中面の全面広告（15段）は

読売 **4791万円**
朝日 **4095万円**
毎日 **2592万円**
日経 **2040万円**

1面・3段8つ割り
（幅4.7cm×高さ3段）

読売 **146万円**
朝日 **133万円**
毎日 **80万円**
日経 **56万4000円**

“サンヤツ”と呼ばれる書籍広告（雑誌広告の場合は6つ割り）。1面の顔であることからデザイン上の制約が多い。

例）
・書体は明朝とゴシックのみ可
・斜線、曲線は不可
・写真、イラスト、スミベタ、白抜きは不可
・書名以外の文字を書名より大きくするのは不可

紙面全体に占める広告掲載量の上限は50%（第三種郵便物の許可条件）

（日本広告業協会「新聞広告料金表 2003下期版」）

「面別接触率」の差が、ページごとの料金単価の差に反映

◇面別接触率の高いページ
1面、社会面、テレビ面……80%以上
◇面別接触率の低いページ
商況面……50%以下

総合面、政治面などは男性のほうが高く、生活面、投書面などは女性のほうが高い傾向

◆雑誌

広告料金、やはり女性誌が高い？

雑誌を1冊制作するためには、印刷・製本関係の費用はもとより、取材費や人件費など、膨大なコストがかかる。販売収入だけでは、とうていこれらをまかなうことはできない。そこで重要になるのが、広告収入の確保だ。

雑誌を開いたとき、広告ページの多さに驚くことがあるが、そのおかげで、販売部数が多少ダウンしても雑誌を発行し続けることができるのだ。逆にいうと、熱心な読者がついていても、広告収入が減少すれば、廃刊・休刊の憂き目にあう場合もある。

販売部数が多い人気雑誌は、広告料金も高めに設定できる。そのため、**実売部数よりかなりサバを読んだ「公称部数」**を発表し、広告主に宣伝効果をアピールすることも少なくなく、「2倍、3倍の水増しはあたりまえ」などといわれている。

しかし、こうした悪習に対しては広告業界から不満の声も少なくなく、最近では、中立的立場の部数公査機構が公正な方法で調査した**「平均印刷部数」**を公表する動きも起きている。

雑誌にまつわる3種類の「部数」

公称部数
- 発行元が発表している“自称”部数
- 実際の**2〜3倍程度の水増し**はあたりまえ(?)

なぜ「水増し」が行なわれる？
- 広告獲得のため
- ライバル誌との競争心

印刷部数
実際に印刷された部数

実売部数
- 実際に売られた部数。印刷部数から返品分を引いた数字
- 編集部員でさえ知らないこともある機密事項
- ただし、一部の雑誌については日本ABC協会（新聞雑誌部数公査機構）が定期的に調査し発表

- 印刷会社や取次会社が数字を外部に漏らすのはタブー
- 返品率30％以下が合格ライン。1ケタ台なら「完売」

発行部数と広告料金の例

	発行部数（公称）	広告料金（裏表紙）
女性向け週刊誌	58万3000部	310万円
女性向け月刊ファッション誌A	60万9000部	320万円
女性向け月刊ファッション誌B	22万5000部	250万円
男性向け月刊生活情報誌	12万5000部	210万円
写真週刊誌	45万部	250万円

雑誌の年間推定販売部数（2002年）

雑誌全体：32億1695万冊
週刊誌：12億1618万冊
その他：20億77万冊

（全国出版協会調べ）

◆テレビ

広告収入はどれくらい？——番組制作費の天国と地獄

日本の民間放送局の売上高は５兆７０３２億円（２００２年度）。最大の収入源であるテレビＣＭは、放送枠がかぎられていることもあり売り手市場となりやすかったが、最近は、景気停滞で企業が広告費を抑制している影響を受け、伸び悩み傾向になっている。

全国ネットの**1時間ドラマの広告料金**は、プライムタイムなら**数千万～1億円**程度。ここから**広告代理店が2割程度の手数料**を引いた残りがテレビ局の広告収入となり、さらにテレビ局側の経費を差し引いた**3000万～6000万円**程度が、出演者のギャラを含めた番組制作費となる。

最近はＢＳ、ＣＳなどテレビ放送の多チャンネル化が進んでいるが、こうした新興勢力のチャンネルは、視聴者が少ないぶん、広告料金の相場がかなり下がり、１番組あたりの制作費も当然少なくなる。**30分番組を数十万円の予算**で作るといったケースも珍しくなく、下請けの制作会社は、さらに苦しい立場に置かれることになる。

テレビ番組の制作費は？

例）民放地上波の1時間ドラマ（プライムタイムに全国ネットで放映）

- ¥ 広告収入　**約7000万～1億円**
- ↓ ¥ 広告代理店の手数料（**約20%**）
- ↓ ¥ テレビ局の諸経費（管理費、設備費、電波料等）
- ↓ ¥ 制作費　**約3000万～6000万円**
  - ¥ うちタレントの出演料：**約1000万～2000万円**

✿ 番組の80%以上が外部の番組制作会社（プロダクション）により制作されている
✿ NHKは民放よりも制作費、出演料ともやや低め
✿ BSデジタルの制作費は**地上波の10分の1**、CSデジタルはさらに**その半分**というのが相場

コストダウンの工夫

- ¥ セットの使いまわし
- ¥ 数回分をまとめ撮り
- ¥ 素人、無名タレントの起用
- ¥ CGの活用　など

深夜のトーク番組、情報番組などはかなりの低予算で作ることも

テレビ局の事業収入ランキング

（2002年）

1	フジテレビ	3023億 4300万円
2	日本テレビ	2862億 6900万円
3	TBS	2340億　400万円
4	テレビ朝日	1846億 4400万円
5	テレビ東京	907億 7300万円
6	読売テレビ	627億 5900万円
7	WOWOW	619億 4000万円
8	朝日放送	615億 5000万円
9	毎日放送	576億　500万円
10	東海テレビ	350億 6000万円

（日経流通新聞調べ）

◆ラジオ

ラジオ広告ならではの特徴と料金は？

ラジオというのは、聴かれていないようで案外聴かれているもの。民放連（日本民間放送連盟）の調査によると、「ふだんよく接するメディア」としてテレビ（52％）に続くのがラジオ（28％）。新聞（15％）、雑誌（5％）を大きく上まわっている。

音だけとはいえ、ラジオ広告が購買行動に与える影響は意外と大きい。地域性があるメディアであるうえ、番組や時間帯によって聴取者の層が比較的はっきりと分かれているため、**ターゲットをしぼった広告**を打ちやすい。ラジオは**「ながら性」にすぐれたメディア**であることから、職場でＢＧＭ代わりにＦＭ放送などが流れているケースも多い。購買力旺盛なサラリーマンやＯＬが平日のデイタイムに放送を聴いている可能性も高いというわけだ。テレビの場合はいわゆるゴールデンタイム（19時～22時）に視聴率が上がるが、ラジオの場合は、**深夜を除くとわりと平均**している。

ラジオ広告の場合、スポット料金（20秒）が**Aタイム（5時～23時）で1本10万円**程度といった具合に単価が比較的安い点も、広告主にとって大きな魅力となっている。

ラジオ広告の特徴

- テレビに比べて**広告料が格段に安い（約10分の1以下）**
- 映像や写真を使わず音だけなので、**制作費もテレビ・雑誌などに比べて安く、制作期間も短くすむ**
- スポット広告の場合、テレビのように異なる時間帯をまとめて販売することがないので、**時間帯をしぼった集中的な広告を出すことができる**

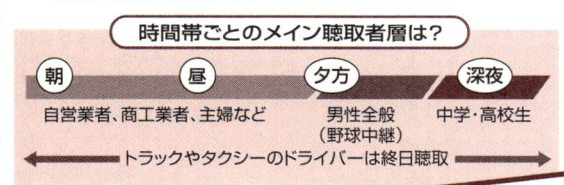

時間帯ごとのメイン聴取者層は？

朝　昼　夕方　深夜

自営業者、商工業者、主婦など　男性全般（野球中継）　中学・高校生

←トラックやタクシーのドライバーは終日聴取→

いずれにおいても習慣性が強く、仕事や勉強をする際に「ながら聴取」するケースが多い

媒体別・広告費の比較

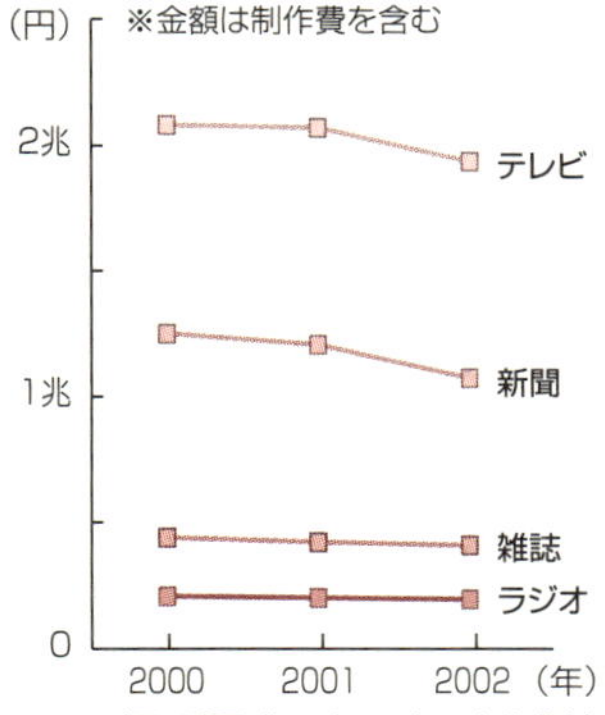

（電通『平成14年 日本の広告費』）

料金例

首都圏AM局の巨人戦中継
（放送時間：
17時40分～21時30分）

20秒広告10本＋
提供クレジット5回
↓
250万円

スポット広告（20秒）の料金は、
Aタイム（5時～23時）
1本約10万円、
Bタイム（23時～翌5時）
1本約5万円程度
（首都圏のAM・FM局）

◆映画

映画館・配給会社・監督・出演者……、収入の配分は？

衰退傾向といわれる日本の映画産業だが、入場者数自体は１９９７年頃から増加に転じ、２００３年の映画の興行収入（映画館の入場料売上）は過去最高の**２０３２億円**に達した。とはいえ、この額は洋画のヒットに助けられている面が多い。

映画館では、ショッピングセンターなどに併設されることの多い**「シネマコンプレックス」**（同じ建物内に複数のスクリーンを持つ映画館）が健闘している。どの映画を観るか、その場でいくつかの候補から選べる自由さが人気の理由だ。

興行収入は、まず、映画館（興行会社）と配給会社とで分配される。比率は、たとえば、**映画館側が50%、配給会社側が50%**というように配給契約時に決められる。大ヒットが予想される大作を手がけるハリウッドの**メジャー系（大手）配給会社などは、70%ほどの取り分を得る**こともある。

配給収入から、配給会社の利益、広告宣伝費などの経費を差し引いた残りが製作会社に入り、ここから、監督やプロデューサー、出演者へのギャラが支払われる。

映画の売上の流れの一例

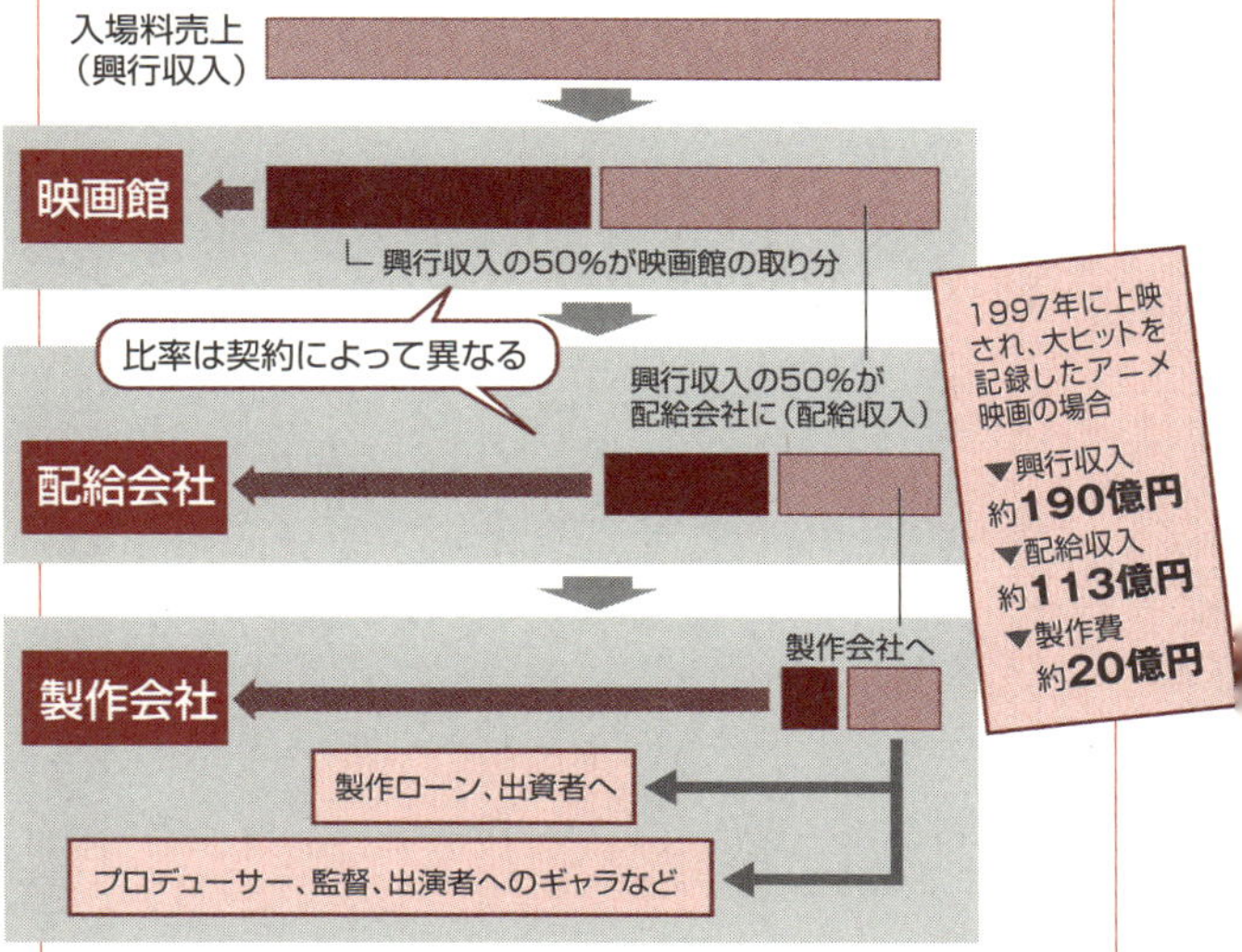

注・それぞれの比率はあくまで一例

2003年度の映画興行収入ベスト5

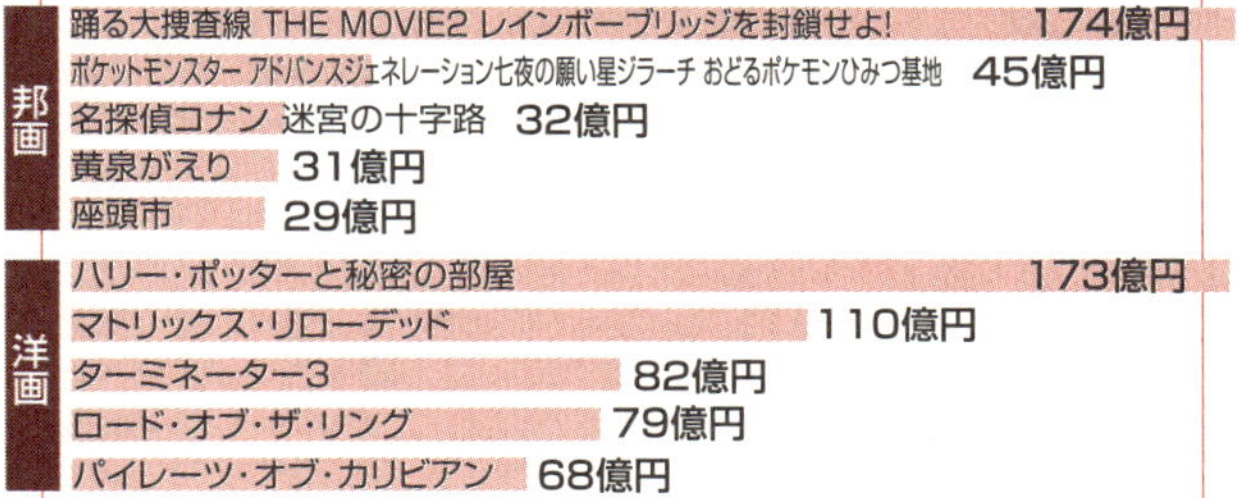

◆鉄道

日本の鉄道運賃は高い？ 安い？ そして利益は？

日本の鉄道運賃は、乗車距離に正比例して高くなる「対キロ制」、乗車距離に応じて階段状に高くなる「対キロ区間制」、等距離に区切った区間の数に応じて決まる「区間制」、乗車距離に関係なく一律の「均一制」の4体系に大きく分けられる。

鉄道運賃は、許可された上限運賃を超えなければ、鉄道会社が届出で自由に運賃を設定できる。国土交通大臣に届出をし、国土交通省で審査が行なわれる。

ＪＲは、分割民営化前には毎年のように運賃値上げをしていたが、１９９６年以降は改定していない。また、約3年ごとに一斉に値上げをくり返していた私鉄各社も、１９９７年が最後の一斉改定となっている。

運賃収入を切符のタイプで分けると、普通券、定期券、プリペイドカードなどがある。各線の乗り継ぎや共通カードについては、自動改札で記録されたデータをもとに、精算会社が各社に振り分ける。精算機のない駅での乗り越し運賃については記録が残らないため、実態調査に基づく一定の比率で各社に配分されているという。

大手民鉄15社の収支は？

（平成14年度、大手民鉄15社の鉄軌道部門）

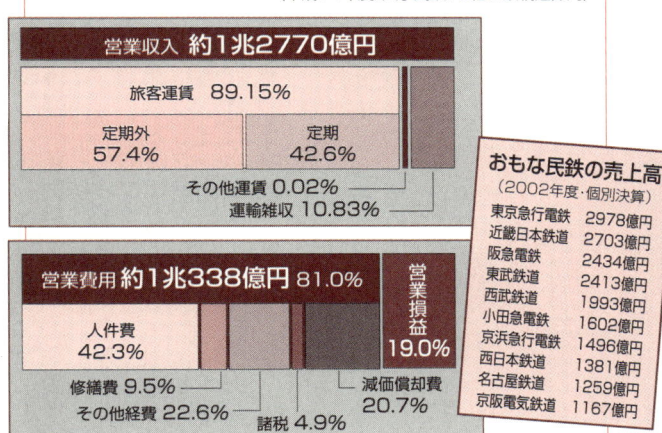

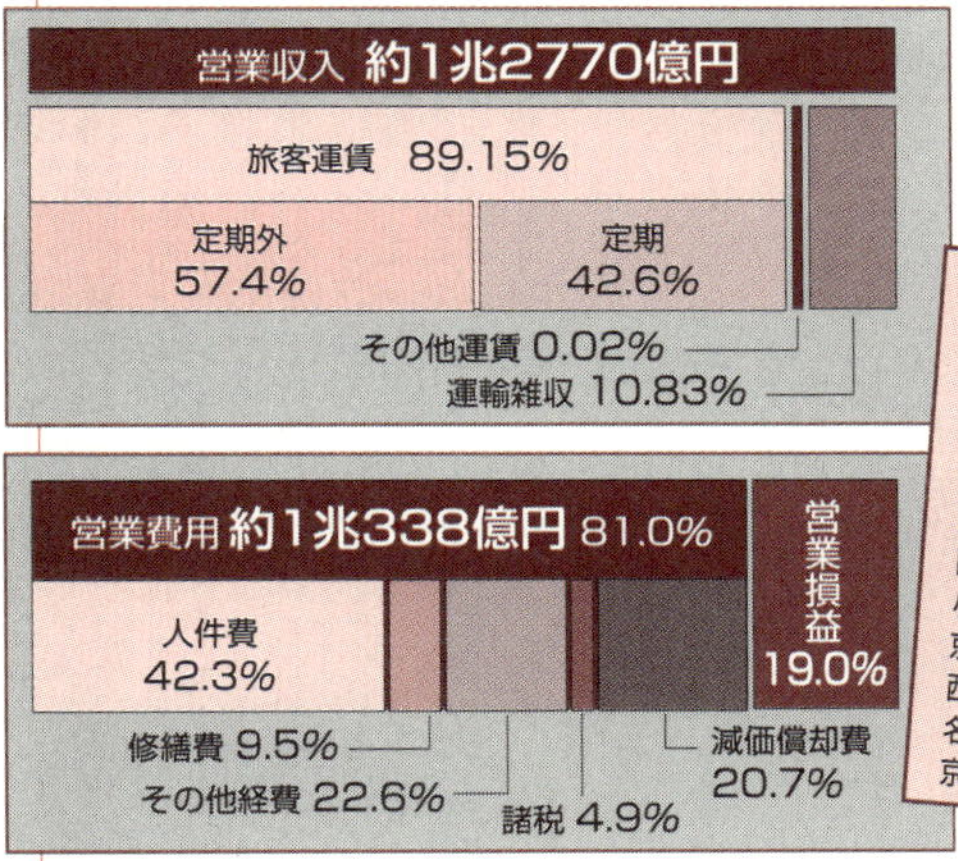

おもな民鉄の売上高
（2002年度・個別決算）

東京急行電鉄	2978億円
近畿日本鉄道	2703億円
阪急電鉄	2434億円
東武鉄道	2413億円
西武鉄道	1993億円
小田急電鉄	1602億円
京浜急行電鉄	1496億円
西日本鉄道	1381億円
名古屋鉄道	1259億円
京阪電気鉄道	1167億円

（社）日本民営鉄道協会『大手民鉄の素顔』より

鉄道運賃の国際比較（特急・約100km）

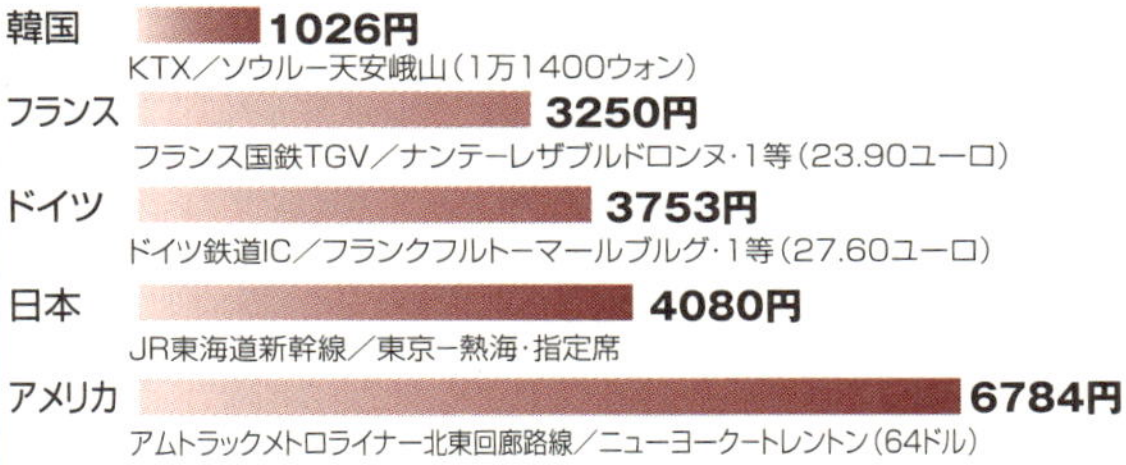

2000年内閣府委託調査を元に一部変更。運賃は2004年4月現在。ドイツ、フランス、アメリカの鉄道料金については、Webの各鉄道のオフィシャルページより。1ドル＝約106円、1ユーロ＝約136円、1ウォン＝約0.09円

◆路線バス

初乗り200円では儲けが出ない？

マイカーが普及したことなどにより、路線バスの利用者は１９６０年代後半をピークに減少し続けていて、バス会社の経営は全体的に厳しい。

バス事業は、**経費の60％以上を人件費**が占める労働集約型産業。そこで、ワンマン化などによる人員削減で経営効率化が進められてきた。

２００２年、バスやタクシー事業への規制を緩和することで事業の効率化・活性化を図ろうと、**改正道路運送法**が施行された。バス事業の経営には路線ごとに国土交通大臣の免許が必要で、路線の廃止や変更、運賃の改定にも許可が必要だったのを、一定の条件を満たしていれば、**新規参入については許可制に、路線の廃止等については事前の届出制に変更**となった。これにより、不採算路線の整理を進める動きが見られる一方、料金値下げや新サービスによって利用客を増やした路線もある。

日常生活の「足」として欠かせない路線バスは、今後、高齢化社会、環境・エネルギー問題への対応策の一環として、大きな役割を担《にな》っていくと考えられる。

乗合バス事業のコスト構成

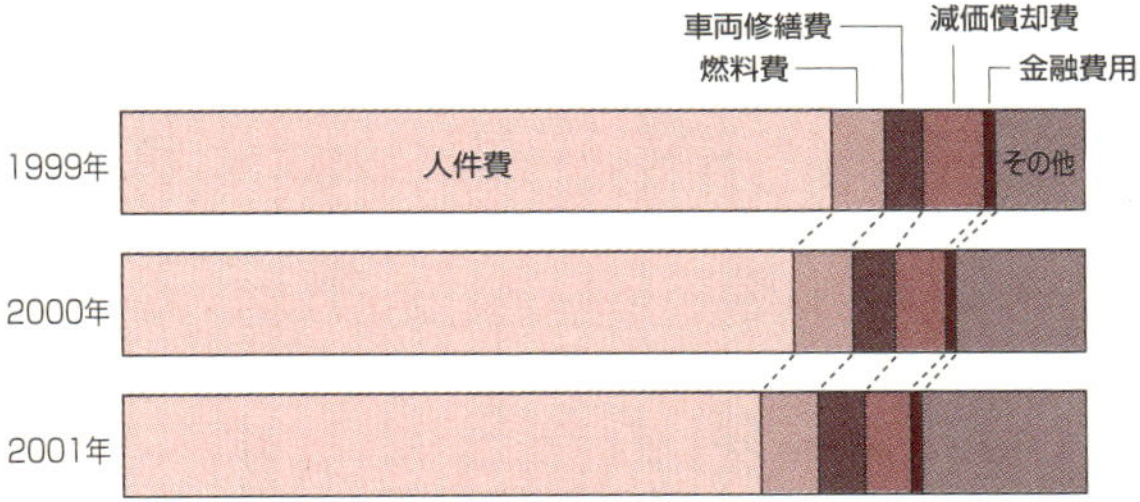

（社団法人日本自動車会議所『数字でみる自動車』2003より）

バスの利用者を増やすためのさまざまな取り組み

- コミュニティバス（住宅地などの狭い道路を運行する中・小型のバス）や100円バス、高齢者や身体障害者が乗降しやすいノンステップバスやリフト付きバスなどの導入
- 高齢者向け定期券や環境定期券（土日祝日に、通勤定期を持つ人とバスに同乗する同居家族への割引）、共通バスカードなどの発行

2002年度の乗合バス収支

収入　8282億円
支出　9128億円
（社団法人日本バス協会発表の資料より）

民営の71％、公営の97％が赤字事業者!!

バス運賃（初乗り）の国際比較

		日本の運賃を100とした場合
日本（東京）	都営	100
アメリカ（ニューヨーク）	NYCTA	94
イギリス（ロンドン）	ロンドン・バス・サービス	94
フランス（パリ）	RATP	77
ドイツ（ベルリン）	BVG	71

（平成14年度内閣府委託調査「公共料金の内外価格差に関する調査」より）

◆建築設計事務所

設計図面を1枚描くと、いくらになる?

建築設計事務所には、1級建築士や2級建築士、木造建築士がいて、建築物の設計、工事監理などを行なっている。事務所の規模はさまざまだが、1人から3人程度の少人数で開業しているケースが多く、工事や申請に必要な図面の作成が主な業務となる。

たとえば、家を建てるとき、一般には建設会社や工務店などの施工者側が図面を用意するが、業者によっては、施工者側に都合がいいように設計してしまうことがある。そうした事態を避け、住む側の意図を忠実にくみ取って具体化してもらうために、あえて建築設計事務所に別途依頼する施主も少なくない。

申請図面を作成する場合では、1件につき15万円程度。クライアント側からすれば出費が増えることになるが、工務店が出した見積りの中身や、工事が設計通りに進んでいるかなど、素人には手が出せない領域へのチェック役を雇うと思えば、妥当な「安心料」とも考えられる。万が一「欠陥住宅」を購入してしまうリスクを考えたら、建築設計事務所に頼むのもひとつの賢い選択肢といえるかもしれない。

建築設計の流れ

- **調査**：法的規制やインフラなどについてや設計に必要な地質などのデータを収集
- **企画立案**：クライアントの要望に沿って具体的な事業計画を立てる
- **基本設計作成**：クライアントと検討を重ね、設計の基本方針を決定
- **実施設計作成**：許認可に必要な申請図面の作成　施工に必要な工事用図面、詳細図の作成
- **工事監理**：設計図、契約通りに施工されているかどうかチェック

企画から工事監理まで行なうのは「建築デザイナー」と呼ばれる有名デザイナー。報酬は一般的に
総工費の8〜10%

設計事務所が手がけることが多い

申請図面の作成

- **1件15万円程度**。数が多いと1件10万円ということも。大手住宅メーカーからの依頼なら**6000円（／坪）**程度
- RC（鉄筋コンクリート）、SRC（鉄骨鉄筋コンクリート）、ALC（工場生産軽量コンクリート）構造の家の図面を作成する場合は、**総工費の8%程度**

工務店勤務の場合は、**月給40万〜50万円**

- コンスタントに仕事が入れば、**年収1000万円以上**
- 経費は**収入の20%程度**。自宅兼事務所なら**80%が利益**に
- CAD（コンピュータ支援設計）システムは必須

◆クレジットカード

カード会社にとっては「リボ払い」がおトク

今やクレジットカードなしの生活は考えられないという人も多いのではないだろうか。大きな買い物をするときや給料日前、ネット通販など、カードは本当に重宝だ。

カードにはさまざまな使い方があるが、使う側からすると**「一括払い」または「2回払い」がもっともお得。**支払い日まで無利息で借金できることになるからだ。逆に**カード会社にとっては、加盟店の払う手数料（利用額の3％程度）が入るだけ**なので、利益の薄い使われ方ということになる。

3回以上の分割払いなら、カード会社に利息が入る。また、最近利用が増えている**リボルビング払い（リボ払い）**は、利用額にかかわらず毎月一定額を払えばいいというシステム。払う額が一定なので、全体でいくら使っているのかについて、利用者の意識が薄れがちになりやすい。利息は借入残高全体にかかるので、カード会社にとっては利益率の高いシステムといえる。また、**キャッシング**は、銀行口座からお金を引き出すような錯覚に陥りがちだが、実際には**年利14～29％程度の利息がかか**っている。

カード会社はどうやって稼いでいる？

カード会社の2大収益源

金　利

加盟店手数料

利用額の5〜7％程度

分割払い、リボ払い

→年利9〜15％程度

一括払い、2回払い、ボーナス一括払い

→金利ゼロ

キャッシング、カードローン

→年利14〜29％程度

カード会社が得られる利益は
加盟店手数料のみとなり、
儲けが薄い

✿ 定額リボルビング
毎月、あらかじめ決めた一
定額を支払う方式

✿ 定率リボルビング
毎月、利用残高に対する一
定割合を支払う方式

クレジットカード発行枚数　2億3168万枚

クレジットカード取扱高　28兆8232億円

内訳
ショッピング：21兆7920億円
キャッシング：　7兆 312億円

（2000年、日本クレジット産業協会調べ）

◆建築

「下請け」から今度は「上請け」へ——変わらぬマージン体質

建設事業にかかわる業者は全国で57万社におよび、設計・施工の総合工事を請け負うゼネコンから塗装や配線などの専門業者まで、事業内容も組織の規模もさまざまだ。

通常、建設工事はまず元請け業者に発注され、そこから下請け、孫請けという形で数種の業者に仕事が分配される。ピラミッド型の仕事の流れは業者間のつながりを密接にし、かつ複雑化する。上からの無理難題を飲まなくてはならない場合もあれば、逆に、馴《な》れ合いで莫大な資金が動くこともある。**「丸投げ」**や**「談合」**などは、そんな建設業界の構造が生み出した悪しき習慣といえるだろう。

こうしたなか、政府は、弱者保護のために**「官公需法」**を制定した。これは、従来の制度では受注資格のなかった中小業者が直接、公共工事を受注できるようにした制度で、**元請けと下請けの関係が逆転**することになる。しかし今度は、受注した**中小業者が大手業者に「上請け」させて中間マージンを取る**ケースが発生している。法律や制度を多少いじった程度では、業界の体質は変えられないということだろうか。

「下請け」「上請け」のしくみ

一般に行なわれている「下請け」

発注者（自治体など）

▽

元請け（ゼネコンなど）

- 工事全体の進行を管理し、発注者に対し工事の責任をとる
- 大規模な工事などは、複数の業者によるジョイントベンチャー（共同事業体）として受注するケースも多い
- 指名入札業者としての実績作りのために、やりたくない工事をあえて落札することも

▽

下請け

- 工事の種類ごとに各専門業者が請け負う
- 同規模の業者同士が元請け⇔下請けの関係（横請け）になるケースも
- 元請け業者からの一括下請け（丸投げ）は建設業法で禁止されている

▽

孫請け

道路工事などに多い「上請け」

発注者（自治体など）

- 官公需法（官公需についての中小企業者の受注の確保に関する法律）により、公共工事の約半数を中小業者に発注しなければならない
- 工事規模により受注業者のランクが決まっているので、中小業者が受注できるよう、道路工事などを細分化して発注

▽

元請け（地元の中小業者など）

実際に施工する能力がなくても受注可能(?)

▽

上請け（大手業者など）

- 隣接地域の工事を複数の元請けから請負うことでコスト削減が可能
- 技術力はあるので、工事の品質は比較的高い

◆自費出版

経費は全部著者持ち、低リスクのおいしいやり方

巷の書店で売られている本は、一般に作家などの著者が文章を書き、出版社が本の形にして市場に出す。編集やデザイン、印刷、広告などにかかる経費はすべて出版社が負担するのが**「商業出版」**の常識だ。しかし、いわゆる「自分史」をはじめ、「句集をまとめたい」「自説を世に問いたい」など、「お金を払ってでも本を出したい」という需要は少なくない。そこに目をつけたのが**自費出版**ビジネスだ。

自費出版自体は従来からあったが、昨今話題なのは、印刷などの費用を著者が負担する代わりに、個人レベルの自費出版では不可能な、取次（書籍の問屋）ルートを通した販売を出版社が行なう、**「共同出版」「協力出版」**と呼ばれるスタイル。

経費を著者が負担してくれるのだから、出版社側のリスクはきわめて低い。**契約内容によっては、本が1冊も売れなくても利益**を出すことができる。それでも著者としては、「自分の本が全国の書店に並んだ！」という大いなる喜びが得られる。その意味では、お金と引き換えにステータスや夢を売るビジネスともいえそうだ。

自費出版の代表的パターン

完全自腹型

出版社を介さず、
印刷・販売等の費用を
著者がすべて負担

製作費はいくらくらい？

（A5判、160ページ、本文＝モノクロ、表紙カバー＝カラーの本を1000部、製版・印刷業者に発注した場合の例）

- 製版代：51万2000円
  （内訳）
  本文組版：3000円×160ページ＝48万円
  図版：1600円×10点＝1万6000円
  写真：800円×20点＝1万6000円
- 印刷代：30万円
- 表紙カバー代：12万円

計：**93万2000円**

※本文原稿はテキストデータ、図版・表紙カバーは版下orデータ、写真は紙焼きorフィルムの形で著者側が用意

DTPソフトを使って自分でレイアウト作業をすれば、さらにコストダウンが可能

自分で行なうか、専門家に外注

- 基本的には市販ルートに乗らないので、販売も自分で行なう
- 本の売上はすべて自分のものに

原稿執筆 ➡ 編集 ➡ 校正 ➡ 印刷 ➡ 販売

共同出版、協力出版型

- 一定部数を著者が買い取るか、製作費の一部を著者が負担
- 企業出版（会社や製品の宣伝、社長の自伝等）、美術書などで多く見られるパターン

- 通常の商業出版と同様に進行
- 書籍コードが付くので取次経由での市販が可能
- 売上の一部は印税や原稿料の形で著者に支払い

出版社側のメリット　著者側が負担する費用で製作費をある程度まかなえるので、赤字リスクが低い

契約内容しだいでは、1冊も売れなくても黒字になる？

著者側のメリット　「市販される本を出した」ということで、自身のステータスを高められる

ベストセラーも夢ではない？

◆健康保険

私たちの医療費、その支払いのしくみは？

２００１年度の国民**１人あたり医療費**は、**24万6100円**、医療保険と公費から支払われた**医療費の総額は31兆3234億円**で、過去最高となった。

ここまで医療費が高額になった原因の一部は、やはり保険医療の出来高制にあるといえる。過剰診療や患者の薬漬けも社会問題化している。そこで、大学病院などベッド数３００床以上の国公立病院について、新たに**「定額払い制」**の導入が進められている。このシステムでは、治療方法にかかわらず、病気の種類で１日の報酬額が決まるので、診療のムダを省く効果が期待できるわけだ。

医療費による財政圧迫を軽減するために、健康保健法の改正も進んでいる。基本方針は、入る金額（保険料）を増やし、出る金額（患者１人あたりの支払い割合）を減らすこと。これにより、会社員の自己負担率は２割から３割に上がり、70歳以上の高齢者については定額負担制が廃止され、診療ごとに１割を負担することになった。

こうした改革が医療財政悪化を食い止める「特効薬」になるか、今後も注目される。

健康保険における診療報酬請求・支払いのしくみ

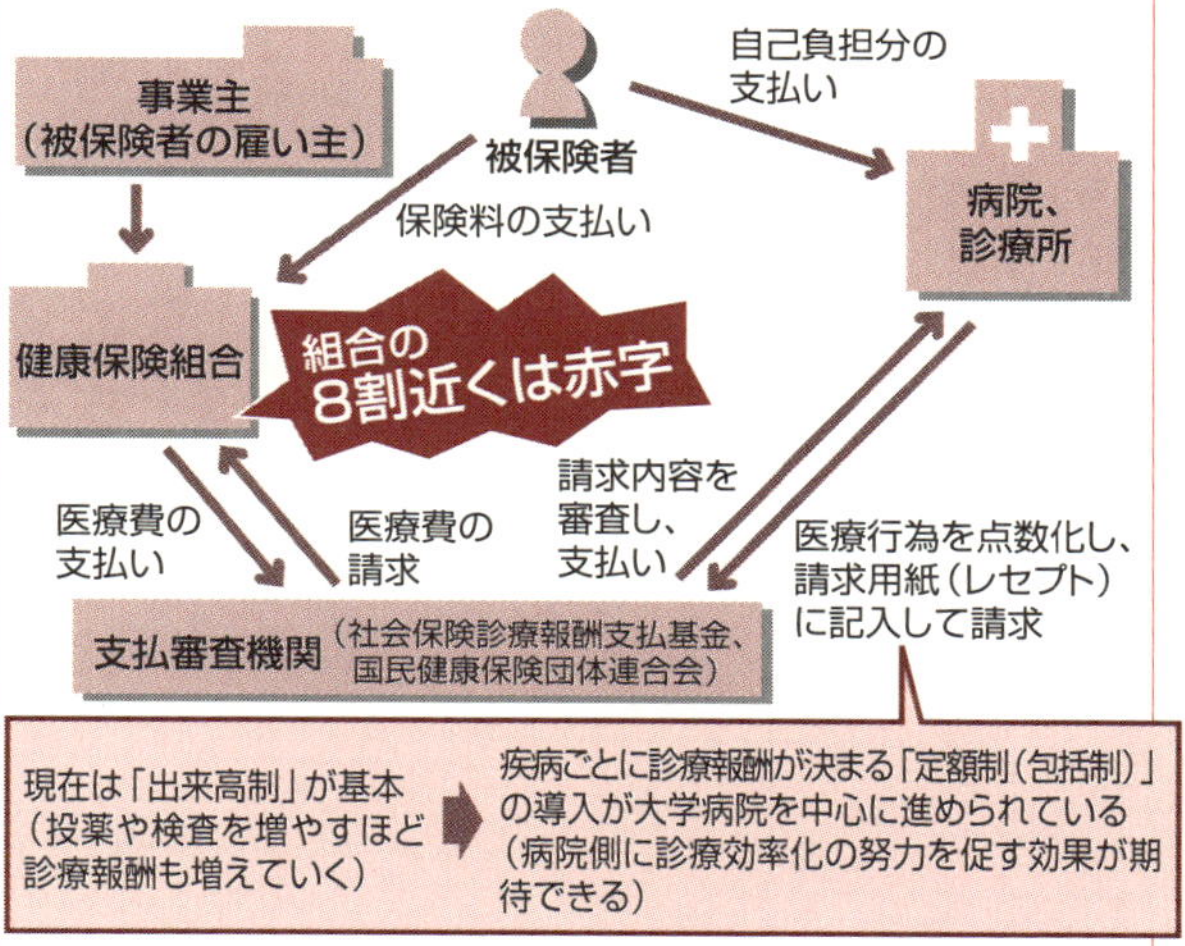
事業主
（被保険者の雇い主）
被保険者
自己負担分の
支払い
病院、
診療所
保険料の支払い
健康保険組合
組合の
8割近くは赤字
医療費の
支払い
医療費の
請求
請求内容を
審査し、
支払い
医療行為を点数化し、
請求用紙（レセプト）
に記入して請求
支払審査機関（社会保険診療報酬支払基金、
国民健康保険団体連合会）
現在は「出来高制」が基本
（投薬や検査を増やすほど
診療報酬も増えていく）
疾病ごとに診療報酬が決まる「定額制（包括制）」
の導入が大学病院を中心に進められている
（病院側に診療効率化の努力を促す効果が期
待できる）

国民医療費の推移

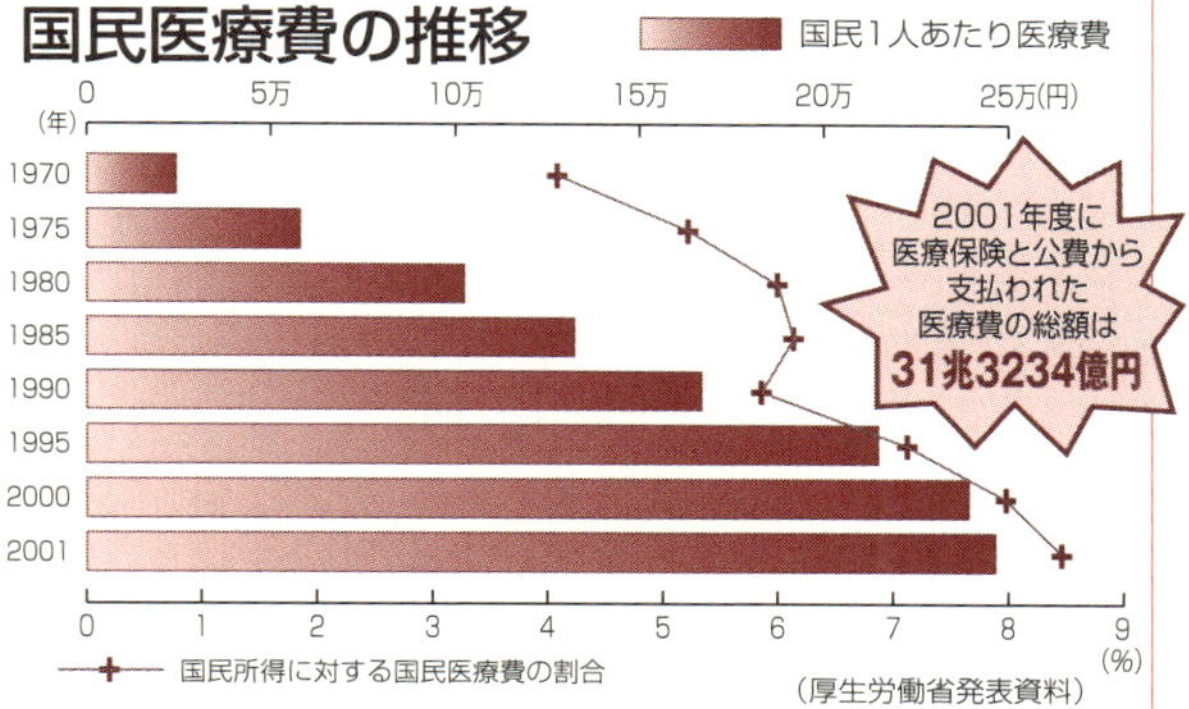
国民1人あたり医療費
0
5万
10万
15万
20万
25万(円)
(年)
1970
1975
1980
1985
1990
1995
2000
2001
2001年度に
医療保険と公費から
支払われた
医療費の総額は
31兆3234億円
0
1
2
3
4
5
6
7
8
9
(%)
国民所得に対する国民医療費の割合

（厚生労働省発表資料）

商売の「裏」がわかるコラム❻

旅館に泊まるとき チップは必要？

旅館に泊まったときにけっこう頭を悩ませるのが、仲居さんへの心付け（チップ）をどうするかということ。心付けは、ホテルなどにはない旅館独特の慣習だが、そもそも宿泊料金に「サービス料」が含まれている以上、基本的には必要ないとされている。

しかし、「マナー知らずと思われないか」「渡しておかないとサービスが悪くなるのではないか」などと心配して、いくらか包んでしまう人も少なくないようだ。

チップは本来、サービスに対する感謝の気持ち。酒に酔って迷惑をかけたり、役に立つ地元情報を教えてくれたりなど、とくに世話になったと思ったら、帰る際に渡せばいい。その場合のチップの相場は、だいたい１０００～３０００円程度。

いずれにせよ、宿泊初日に心付けを渡すという慣習は、急速に減少していくと予想される。事前にチップをくれないお客に対してサービスを落とすような旅館は、今後、自然と淘汰されていくことだろう。

最近では、お客に余計な心理的負担を与えないよう、「心付け不要」を明言している旅館も増えている。

7章

ちょっと気になる〝あの商売〟

いったいどこまで稼げるの？

◆作家

ベストセラー、さて印税はいくら入る?

日本人の活字離れが指摘される昨今、一部の人気作家を除けば、印税収入だけでは生活もままならない作家がほとんど。そこで、単行本化されるあてがなくても、雑誌掲載用の短篇小説や単発コラムをせっせと書いて数万円の原稿料を稼いだり、まったく別業種のアルバイトをして生活費を補っている作家も少なくないという。

ところが、有名文学賞を受賞したり作品がベストセラーになったりして、一躍その名が世間に知られるようになると、新たな収入源が増える。作品そのものだけでなく、**作家の「名前」がお金を生む**ようになるのだ。雑誌、新聞などの活字媒体からは、小説の執筆以外に、**エッセイの連載や対談**を依頼され、テレビからは**コメンテーター**としての出演依頼が来るようになる。各種団体から**講演**を頼まれる機会も増える。

数カ月あるいは数年をかけて長編小説を1本書き上げるのに比べれば、どの仕事も短期労働で高収入。ただし、こういう副業にはタレント性が求められる場合が多いので、有名作家なら誰でもうまくこなせるとはかぎらない。

1粒で3度おいしい(?)、作家の原稿料・印税収入

雑誌連載（文芸誌など）

原稿料：400字詰め原稿用紙1枚あたり
約3000〜5000円
例）4000円×25枚×12回＝120万円

- 文芸誌の原稿料は安め
- メジャー週刊誌や企業PR誌のエッセイ、コラムなどは、有名作家なら1枚数万円になることも

単行本化

印税：**定価の10%**
例）定価1500円×7000部×10%＝105万円

- 印税率はケースにより**約7〜12%**の範囲内で上下することも
- 書き下ろしによる単行本化だと印税のみで原稿料が発生しないので、収支面ではきびしくなる
- ロングセラーになり増刷を重ねれば、出版後も継続的に“不労所得”が得られる

文庫化

印税：**定価の10%**
例）定価500円×1万5000部×10%＝75万円

その他の収入

- 講演料（90分で**約10万〜100万円**）
- テレビ番組のコメンテーター
- 映画化、ドラマ化による原作料
- インタビュー、対談記事の謝礼　　など

費やす時間、労力と収入の比較でいえば、これらの“副業”のほうが割りがいい

作家の長者番付

（2002年）

		納税額	推定年収
1	西村京太郎	1億4029万円	3億8589万円
2	宮部みゆき	1億3719万円	3億7751万円
3	内田康夫	9732万円	2億6976万円
4	村上春樹	9589万円	2億6589万円
5	赤川次郎	8234万円	2億2927万円
6	北方謙三	5156万円	1億4608万円
7	江國香織	4504万円	1億2846万円
8	唯川恵	4396万円	1億2554万円
9	東野圭吾	4149万円	1億1886万円
10	小野不由美	3989万円	1億1454万円

◆漫画家

原稿料と印税収入、漫画家さんの悩みの種は?

漫画家の収入源は大きく分けてふたつある。ひとつは、雑誌掲載時に支払われる**「原稿料」**、もうひとつは、単行本化された際に支払われる**「印税」**だ。

原稿料の設定は、現時点での人気とはあまり関係がない。たとえば、デビュー間もない新人が初連載で大ブレイクすることがあるが、そうした新人作家より、そこそこの人気を維持している中堅作家のほうが、原稿料は高いことが多い。これは、同じ雑誌や出版社で連載を続けていると原稿料が定期的に上がるしくみになっているからだ。

しかし、そうなると今度は、**人気のわりに高額な原稿料が敬遠され、新たな仕事の依頼が来にくくなる**という現象も起こってくる。そのため、「もうこれ以上、原稿料を上げてくれるな」と編集部に泣きつくベテラン作家もいるという。

もっとも、原稿料だけではアシスタントを雇うこともままならず、やはり頼りは単行本の印税。単行本をたくさん出すには雑誌の連載が長い、または多いほど有利というわけで、結局、漫画家の作家生命は読者が握っているといえそうだ。

漫画家の収入は？

原稿料

新人作家：約3000〜1万円／ページ
メジャー誌の人気作家：約3万〜7万円／ページ

- 出版社、雑誌によってかなり差がある
- 連載が続くと少しずつ金額が上がる
- 4コママンガはやや高め
- マイナーなH系雑誌は、仕事は比較的得やすいが原稿料は安め

単行本の印税

「定価の10％×部数」が基本
例）定価500円×10％×10万部＝500万円

売上部数に比例して印税も増えるので、長編作品が大ヒットすれば数千万〜数億円の収入も可能！

その他

- アニメ化、ゲーム化、キャラクター商品化されれば、原作料やキャラクター使用料などの副収入が発生
- 専属契約を結べば、原稿料のほかに専属契約料も入ってくる（ただし契約期間中は他社の仕事はできない）

連載をかかえる漫画家の最大のコスト＝アシスタント費用

1人1日あたり約7000〜1万3000円

- 仕事の内容や時間、頻度によって異なる（残業代が出る場合もあり）
- 食事は漫画家側が負担するのが一般的
- アシスタントの人数分の机のほか、（必要な場合は）寝泊まり用の場所や設備も必要

連載の仕事をこなしても単行本化されなければ、アシスタント費用がまかなえず「連載貧乏」に……

◆脚本家

ドラマのシナリオ、1本書いていくらもらえる？

映画やテレビ番組にとって、シナリオ（脚本）はいわば骨格。その骨格を作る脚本家は、本来は裏方のはずだが、最近ではバラエティ番組に出演したり、雑誌にエッセイを執筆したりと、表舞台に登場することも増えてきた。

しかし、有名脚本家はほんのひと握り。しかもフリーランスが多く、仕事の受注量は実力次第。**ドラマ1本分の脚本料も、ベテランと新人とでは数倍違う。**かといって、ベテランだから安泰というわけでもない。映像作品は、若年層に受けなくてはヒットにつながりにくくなっている。とくに、いわゆるトレンディドラマなど若年層向けドラマには脚本家にも若い感性が求められ、業界内の新陳代謝は活発だ。

また、**プロデューサーやスポンサーなどからの要求には絶対服従。**何度も書き直した末にやっと書き上げた脚本を勝手に変更されることも珍しくない。

こうしたことに対応し続け、生存競争に生き残った中堅脚本家の年収は、中堅サラリーマンのやや上程度。なんとも厳しい世界である。

新人脚本家の脚本料（一例）

30分もの1本あたりの単価

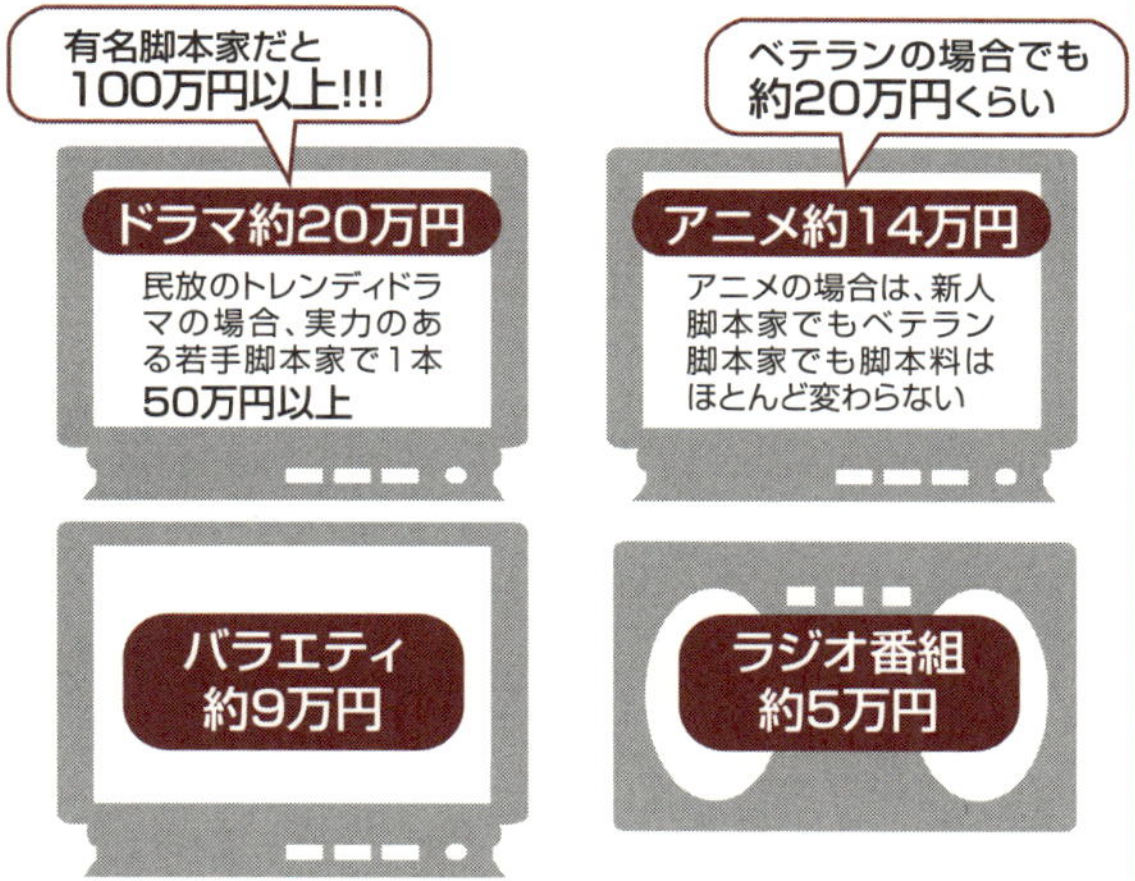
有名脚本家だと
100万円以上!!!
ドラマ約20万円
民放のトレンディドラマの場合、実力のある若手脚本家で1本
50万円以上
ベテランの場合でも
約20万円くらい
アニメ約14万円
アニメの場合は、新人脚本家でもベテラン脚本家でも脚本料はほとんど変わらない
バラエティ
約9万円
ラジオ番組
約5万円

制作会社が作った番組をテレビ局で買い取った場合、制作会社が受け取った金額（番組の販売価格）の3.5〜4%＊

＊この場合は、再放送やビデオ化された場合でも、「買い取り」であるために著作権料は発生しない

再放送やビデオ化された場合は、脚本家に著作権料が入る

◆局制作の番組を再放送した場合
最初に受け取った脚本料の**50%**
◆レンタルビデオ　販売価格の**3.35%**
◆セルビデオ　販売価格の**1.75%**

大ヒットを記録したアニメ番組などでは、脚本料と著作権料あわせて億単位の収入を得ることもあるといわれている

◆イラストレーター

イラスト1点あたりのギャラはいくら？

あらゆるメディアにあふれるイラストの数々を描いているイラストレーター。仕事の領域としては、広告分野と出版分野に大きく分けられる。大まかにいって**広告のほうがギャラは1ケタ高いが、競争は熾烈《しれつ》で**、収入は不安定になりやすい。**出版のほうは、ギャラは広告より安めだが裾野が広く、比較的安定**して仕事を得ることができる。活字離れが進むなか、イラストがますます重要視されているのも有利だ。

単価は、大きさや色数（カラーかモノクロか）によって大きく変わるが、雑誌の小さなモノクロカットで1点2000～3000円程度。数をこなして年収1000万円を超える人もいれば、イラストだけでは食べていけない人もいる。

フリーランスのイラストレーターが仕事を得るには、基本的には編集者などに作品を見せて売り込むことになる。そのほか、多くの人に作品を見せて、イラストが描けることを印象付けたり、ホームページを作って作品を公開するなど、日頃からイラストが他人の目にふれる機会を増やすなどの工夫も大切だ。

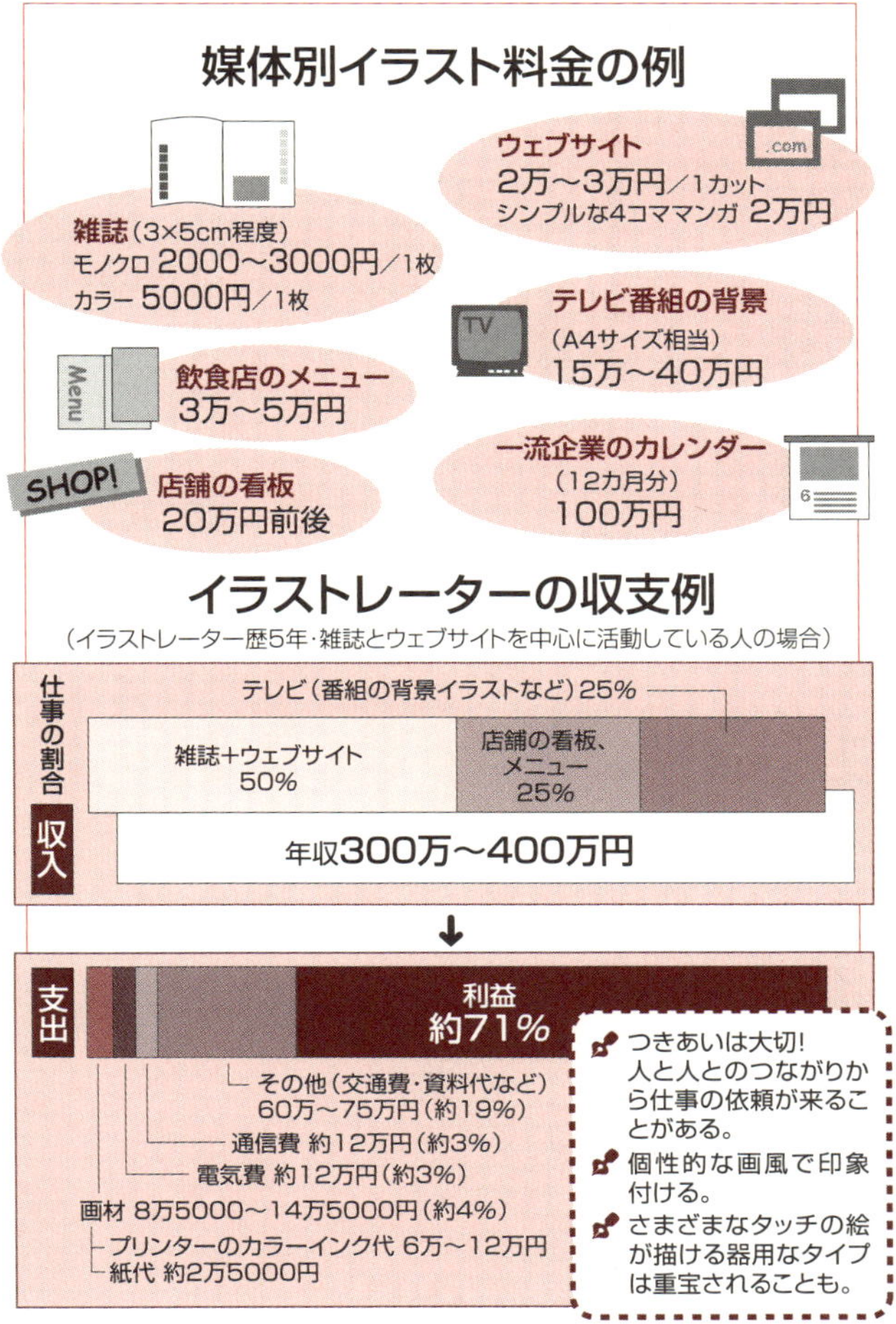
媒体別イラスト料金の例
雑誌（3×5cm程度）
モノクロ 2000〜3000円／1枚
カラー 5000円／1枚
ウェブサイト
2万〜3万円／1カット
シンプルな4コママンガ 2万円
.com
テレビ番組の背景
（A4サイズ相当）
15万〜40万円
TV
飲食店のメニュー
3万〜5万円
Menu
一流企業のカレンダー
（12カ月分）
100万円
SHOP!
店舗の看板
20万円前後
イラストレーターの収支例
（イラストレーター歴5年・雑誌とウェブサイトを中心に活動している人の場合）
仕事の割合
テレビ（番組の背景イラストなど）25%
雑誌＋ウェブサイト 50%
店舗の看板、メニュー 25%
収入
年収300万〜400万円
支出
利益 約71%
その他（交通費・資料代など）60万〜75万円（約19%）
通信費 約12万円（約3%）
電気費 約12万円（約3%）
画材 8万5000〜14万5000円（約4%）
プリンターのカラーインク代 6万〜12万円
紙代 約2万5000円
つきあいは大切! 人と人とのつながりから仕事の依頼が来ることがある。
個性的な画風で印象付ける。
さまざまなタッチの絵が描ける器用なタイプは重宝されることも。

◆カメラマン

新機材や車の出費が、フリーランスには痛いところ

カメラマンになるにはとくに資格などは必要ないが、広告や雑誌などの商業写真の現場には、専門学校に通ったり、プロのスタジオでアシスタントをしたりといった**下積み時代を経てプロ**になった人が多い。出版社や新聞社の社員カメラマンもいるが、自分で営業して仕事を開拓するフリーランスが一般的だ。

写真の単価はカメラマンのネームバリューや媒体の種類（広告か出版かなど）、扱いの大きさによって千差万別。雑誌などの場合はページ単位で計算される。

カメラマンの主な出費といえば、もちろん撮影機材。レンズやカメラはひと通り購入したあと保守をきちんとすれば長持ちするが、新しい技術が導入されたりすると改めて買いそろえざるをえない。最近では**デジタルカメラの普及**が進み、銀鉛写真（従来のフィルム写真）だけにこだわっているわけにはいかなくなった。デジカメ本体だけでなく、パソコンやネット関連の出費も迫られるようになっている。また、カメラマンは現場に赴《おもむ》いてナンボの商売。重い機材を運ぶための**クルマは必須**といえる。

カメラマンの収支は？
収入
ギャラの例
雑誌の記事中の写真
1ページあたり
1.5万円～
雑誌広告の写真
1ページあたり
2.5万円～
媒体や写真の点数、
手間のかかり方など
によって大きく異なる
支出
（あるフリーカメラマンの場合）
独立～現在
約1000万円
レンズは
比較的長く使える
機材費
カメラは点検修理をこまめに
すれば10年以上使えるが、
新しい技術が導入されれば
短期間で乗り換えることもある
数年おきに大きな出費が
クルマは必須
機材が多いため、
ロケ地への移動には
クルマが欠かせない
クルマまわりの維持費も
バカにならない
年間
約150万円
デジタル化で
新たな出費が！
画像処理ソフト
ネット環境
プロ用
デジカメ
撮影現場で使える
ノートパソコン
約100万円

◆通訳

観光ガイドから警察の取り調べまで、いくらになる?

日本を訪れる外国人は、年間４５０万人以上。当然、通訳が必要とされる機会は多く、**観光や商談以外に、警察の取り調べや裁判**などの需要もある。

通訳志望者に人気があるのは観光客相手の通訳だが、シーズンによって需要の波が大きいので、これだけを専門にしている通訳は少ない。商談でも警察・裁判関係でも、なんでもこなす柔軟さと幅広い知識がなくては、この仕事は続けられない。

とはいえ、専門的能力が必要な仕事だけあって報酬の水準は比較的高く、フリーランスでも、コンスタントに仕事をこなせば**月収50万円以上、年収６００万円以上**にはなるという。実力があれば月に１００万円以上稼ぎ出すことも不可能ではない。

人と人とのコミュニケーションを仲介する通訳には、語学力以外に社交性やサービス精神も要求される。一方、取り調べの通訳の際に私情をはさんだりすると、思わぬ誤解が生じる恐れもある。状況に応じた自分の役割を理解し、かつ、当事者に通訳の存在を感じさせないくらい円滑に会話を進めるのが、プロの腕の見せどころといえる。

通訳の種類と報酬例

（報酬額は1日［8時間］拘束の場合の例）

通訳ガイド
約1万5000〜5万円

合格率約5%（英語）の難関！

・外国人観光客の案内
・国家試験である「通訳案内業試験」に合格することが必要
・日本の文化・歴史・地理等についての幅広い知識が必要
・春・秋の観光シーズンに需要が偏りやすい

会議・商談通訳
約1万5000〜10万円

・国際会議、企業間の会議・商談などに同席して出席者の発言を訳す
・同時通訳を求められることも多く、かなりの技術と集中力が必要

エスコート通訳
約1万5000〜5万円

・企業の視察目的で来日した企業家、あるいは政治家・要人などの、日本滞在中の行動をサポート

捜査・法廷通訳
約1万5000〜5万円

・警察や裁判所で外国人の被疑者・被告人をサポート
・私情をはさまず、中立の立場を保つことが求められる
・アジア系の言語（中国語、ペルシャ語など）の需要が高い

放送通訳
約4万〜9万円

・海外のメディアから配信されたニュース番組などを訳す
・同時通訳が求められることも多い

◆翻訳者

専業で稼ぐなら月に4万ワードが目安

翻訳の仕事は、主に「出版翻訳」「（出版以外の）メディア翻訳」「ビジネス翻訳」の３種類に分けられる。文芸書や洋画の翻訳にあこがれて翻訳家を目指す人が少なくないが、希望者が多いわりに仕事の数はかぎられている。その点、国際化があたりまえのビジネス界では、さまざまなシーンで翻訳を必要としていて、仕事の需要も多い。翻訳者の大半がこの「ビジネス翻訳」で生計を立てているのが実情だ。

翻訳料は、１ワードいくらという計算方法が一般的だが、訳文の文字数で計算するケースもある。だいたい、**1日に2000ワード以上、月に4万ワード**訳すことができれば、専業でやっていけるという。

ＩＴ関連や医療関係など、翻訳する内容は多種多様。正確に、かつわかりやすく訳すには、その分野の専門知識を持ち、不明な部分は手間ひまかけて調べることも大切だ。ここで手を抜けば、当然、次の仕事は来なくなる。地道な努力で着実に得意先を増やしていけば、スタッフ数人を抱える翻訳会社の設立も夢ではなくなる。

翻訳の分野と報酬例

出版

- 文芸書、ノンフィクション、実用書など
- 印税方式（5～8％程度）が主流

例）定価1500円×7％×7000部＝73万5000円

・文芸書は出版点数が少なく、競争率が高い
・印税方式は、ベストセラーになれば大幅な収入増が期待できるが、現実には出版翻訳のみで生計を立てるのはむずかしい
・下訳、リライトのギャラは安め

ビジネス

- マニュアル、契約書、会社規則、特許申請書類など
- 「クライアント（企業）⇔翻訳会社⇔登録翻訳者」という流れで発注・納品されるケースが多い
- 買い取り方式（英文1ワードにつき7～25円程度）が主流

例）1日2000ワード×22日×15円＝月収66万円

・仕事の需要が多く、翻訳業務の主流
・最近はIT関係の需要（ソフトウェア本体、マニュアル冊子、オンラインマニュアルの日本語化等）が急増

映像、音楽関係

- 映画、海外テレビ番組などの字幕、CDの訳詞
- 買い取り契約が主流

例）劇場映画（120分）：40万円
　　BSデジタル放送のテレビ番組（60分）：7万円
　　CDの訳詞：1曲につき3000円

・BS放送の多チャンネル化でテレビ番組の仕事が増えているが、映画に比べるとギャラは安め
・全般に納期は短め（映画［120分］：約2～3週間、テレビ番組［60分］：約1週間、CD［10曲］：約3～4日）

◆プロレス

あたればデカいがリスクも大きい「売り興行」

プロレスの興行には、「自主興行」と「売り興行」とがある。**自主興行**はプロレス団体がすべてを仕切るもので、テレビ中継があるような大型興行は、だいたいこの形式。**数千万円のスポンサー料**が入る場合もあり、団体にとって力の入る興行だ。

売り興行は、**プロモーター**に興行権を売り、プロモーターの采配《さいはい》で興行が行なわれる形式。地方興行は多くの場合、売り興行となる。団体側には興行権料が入り、チケット売上はプロモーター側の収入となる。**2000人規模の会場で満員御礼なら1日で数百万円の利益**になるが、逆に空席が目立つようなら、プロモーターは大赤字だ。

レスラーの年俸は、大手団体のトップクラスで5000万〜1億円程度。このクラスのレスラーがゲストで招かれた場合のギャラは**1試合で200万〜300万円**程度。ただし、これほどのビッグネームはごく一部で、ある程度名前が売れていても**年俸1000万〜2000万円**、無名時代は**月給制で15万円**ほどだという。年間に数十から１００近い試合をこなすことを考えると、かなりハードな仕事といえそうだ。

プロレス興行のしくみ

自主興行の場合

プロレス団体 → 自ら興行運営を取り仕切る → チケット販売／会場の手配／宣伝

- プロレス団体が直接取り仕切る形式
- 協賛スポンサーが付くこともある
- 大都市での興行（ドーム、大規模な体育館など）に多い

売り興行の場合

プロレス団体 → 興行権を販売 → プロモーター → 販売権を買い取ったうえで、興行運営を担当 → チケット販売／会場の手配／宣伝

- プロレス団体がプロモーターへ興行権を販売する形式
- チケット売上はプロモーター側の収入
- 会場費、宣伝費はプロモーター側の負担
- 選手の移動費、宿泊費、食費等はプロレス団体側が負担
- 規模の小さい地方興行などに多い

プロモーターの収支例

収入

チケット売上：2000万円（平均単価1万円×2000人）

（お客の入りが悪ければ、そのぶん収入も減ることに……）

支出

興行権料：1000万円

（団体の規模や出場選手の人気度により大きく変わる。小規模な団体の場合は100万円以下ということも）

会 場 費：　200万円（警備費、照明費等込み）

宣 伝 費：　　80万円（ポスター、チラシ、街宣車等）

計　：1280万円

トータル収支： +720万円

◆プロ野球

平均年俸3800万円、一生で見ると高い？　安い？

プロ野球選手が契約更改をする年末年始には、誰それがウン千万円アップでサインした、１億円プレイヤーになったのと、ため息が出るような数字が話題になる。平均年俸は**約3800万円**（２００４年）。庶民から見れば、なんとも華やかな世界だ。

しかし、プロスポーツの世界は厳しい。そんな高額な年俸を稼ぎ出せるのは、ほんのひと握りの選手だけ。選手寿命は短く、30歳を過ぎれば若手に追い落とされる可能性が高い。引退してもコーチや解説者など野球関係の仕事に就く道は狭き門。かといって普通のサラリーマンになるのはむずかしく、事業を起こしても成功するとはかぎらない。この不安定さを思えば、必ずしも年俸が高いとはいい切れないだろう。

ちなみに、プロ野球界にも独自の**年金制度**があり、勤続10年以上（コーチや監督の時期も含む）で終身年金（55歳～）の受給資格が得られる。ほかに、プロ野球選手会が運用する**退職金制度（退団金共済制度）**もあり、積立金に利息をプラスした金額を退団時に受け取れるしくみとなっている。

2004年シーズンの平均年俸

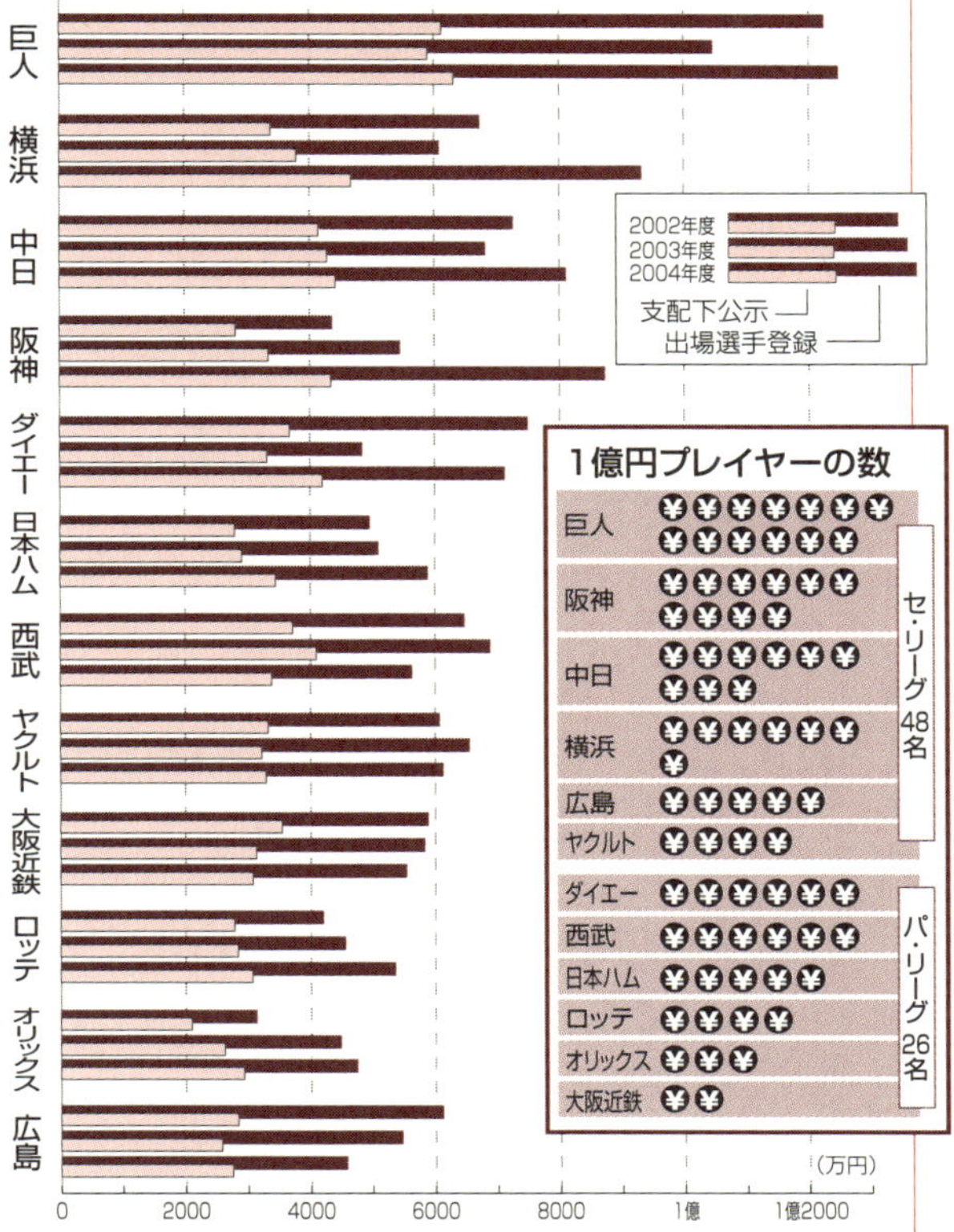

（千の位で四捨五入。出場選手登録は各年度開幕日を基準とする。
日本プロ野球選手会発表のデータより）

◆騎手

厩舎所属で月給制か、フリーででっかく勝負か？

中央競馬会（ＪＲＡ）の騎手になるには、一般に競馬学校を卒業し、騎手免許試験に合格することが必要。まずは、いずれかの厩舎《きゅうしゃ》に所属して、調教師の下で働く。その後、そのまま厩舎に所属する者と、独立してフリーになる者とに分かれる。

厩舎所属の騎手は**騎乗契約料（月給）**をもらっているので最低限の収入は保証されている。キャリアを積んで、大きなレースの騎乗依頼が来るようになれば、レースごとに契約料を受け取るフリーになって収入をグンと伸ばすこともできる。

厩舎からの契約料のほかに、レースに出れば**賞金・手当**が受け取れる。騎乗馬の獲得賞金の５％がもらえる**「進上金」**や、レースごとに受け取る**騎乗手当**、**騎乗奨励手当**などがある。いずれにせよ、いかに多くの馬に乗るかが稼ぎを左右する。

中央競馬と地方競馬とでは賞金のケタがまったく違うため、騎手の稼ぎにも雲泥の差がある。たとえば、「ハルウララ」に武豊が騎乗して話題となった高知競馬のレースでは、１着になっても**賞金は11万円。騎手の取り分は５５００円**にしかならない。

騎手の収入の2本柱

① 厩舎との契約料

厩舎

厩舎所属の騎手

- 専属契約（月給制）
- 厩舎の仕事を手伝い、厩舎の馬に乗ってレースに出る
- 都合がつけば他厩舎の馬に乗ってレースに出ることも可能

フリーの騎手

- レースごとに契約
- 騎乗依頼が集中する人気騎手などは、エージェント（代理人）に契約交渉を任せるケースも

② レースでの 賞金・手当

（中央競馬騎手の例）

進上金　騎乗馬が獲得した総賞金の5%（障害レースは7%）

（例）ジャパンカップ

本賞金（6着以下は出走奨励金）		騎手の取り分
1着	2億5000万円	1250万円
2着	1億円	500万円
3着	6300万円	315万円
4着	3800万円	190万円
5着	2500万円	125万円
6着	2000万円	100万円
7着	1750万円	87万5000円
8着	1500万円	75万円

地方競馬の場合、中央競馬に比べると賞金、手当の額はかなり低くなる

騎乗手当＋騎手奨励手当　1レースにつき約4万〜8万円（障害レースは約9万〜16万円）

中央競馬騎手の賞金ランキング（2003年）

	騎手名	騎乗馬の獲得賞金	進上金相当額（5%）
1	武豊	38億5900万円	1億9295万円
2	安藤勝己	26億3047万2000円	1億3152万3600円
3	横山典弘	23億70万1000円	1億1503万5050円
4	柴田善臣	21億6735万2000円	1億836万7600円
5	蛯名正義	21億2914万8000円	1億645万7400円

（JRA発表資料）

◆プロ棋士（将棋）

数ある棋戦のなかでも「順位戦」が収入に大きく影響

将棋を指すことを生業とするプロ棋士は、全員が日本将棋連盟に所属している。連盟から支払われる**対局料**が、彼らの主な収入源だ。

対局料は、わかりやすくいえば「基本給」＋「歩合給」という形をとっている。基本給は**「順位戦」**の対局料を月割りで支給するもので、**名人、A級、B級1組、B級2組、C級1組、C級2組**というクラスごとに金額が定められている。歩合給にあたるのがその他の棋戦の対局料で、これも所属クラスにより算定基準が異なっている。こちらはいわば完全歩合制なので、トーナメント戦を勝ち進めば対局数が増え、収入も大幅にアップするが、負ければそれっきり。まさに弱肉強食のシステムといえる。

いずれにせよ、**順位戦の所属クラスが、収入に大きく影響する。**順位戦は、リーグ戦形式で年間10局前後が戦われ、成績上位の数名だけが上のクラスに昇級できる。逆に、**成績が悪いと降級となり、基本給も約3割減**となる。このため、数ある棋戦のなかでも順位戦にはとくに気合を入れて臨むという棋士が少なくない。

プロ棋士（将棋）の収入は？

各棋戦の主催社（新聞社等）→（契約金）→ 日本将棋連盟 →（月給、対局料の形で分配）→ プロ棋士（女流棋士約50名も含め合計約200名）

月給

●順位戦の対局料を月割りにして支給。ボーナス（年2回）もあり

女流棋士は順位戦に参加せず、別個のシステムとして存在

●名人：**約110万円**、A級：**約70万円**、B級1組：**約50万円**と、クラスがひとつ下がるごとに約3割減

対局料

●対局料は1局あたり**約2万〜30万円**が一般的（順位戦の所属クラスや、対局の重要度などにより異なる）

年間対局数は25〜40局程度（順位戦含む）が一般的

●トーナメントを勝ち上がると対局料がハネ上がっていくシステムの棋戦もある

例）竜王戦決勝トーナメント

1回戦の最低ランク：**35万円**

→挑戦者決定3番勝負：**330万円**

→竜王位決定7番勝負：**700万円**

7番勝負に勝てばさらにタイトル獲得賞金**3200万円**（負けても**800万円**）が入ってくる！

その他

●稽古料（自宅将棋教室、将棋道場、企業の将棋部での指導対局など）

●各種イベントの出演料（将棋大会の審判、テレビ棋戦やタイトル戦大盤解説会の解説役など）

●原稿料・印税　など

獲得賞金・対局料ランキング（2003年）

1	羽生善治 名人（33歳）	1億2910万円	6	深浦康市 朝日（32歳）	3330万円
2	佐藤康光 棋聖（34歳）	5709万円	7	三浦弘行 八段（30歳）	2105万円
3	森内俊之 竜王（33歳）	5269万円	8	阿部　隆 七段（36歳）	2049万円
4	丸山忠久 棋王（33歳）	3745万円	9	中原誠 永世十段（56歳）	1850万円
5	谷川浩司 王位（41歳）	4291万円	10	久保利明 八段（28歳）	1818万円

※金額は推定。段位・タイトル・年齢は2004年3月時点

◆女優・モデル

売れっ子、売れない人、その拘束時間とギャラは？

華やかに見える**女優**や**モデル**も、無名時代の収入は厳しいものがある。新人は個々の仕事ごとにギャラが支払われる**歩合制**が一般的。アルバイトなどと掛け持ちしなくては、とても生活できない。ある程度**売れてくると月給方式に切り替わる**が、金額は仕事の量によって上下し、大卒初任給レベルの収入を維持するのも容易ではない。

雑誌関係の仕事は、総じてギャラが安い。それでも、雑誌に掲載されると多くの人の目にふれるので、売り出し中の身にはありがたい仕事だ。撮影の**拘束時間が短くて収入がいいのは、CMの仕事**。ただし、あくまでもメインは商品のほうなので、見る側に自分をアピールできないことも多い。

映画やVシネマの出演は、拘束時間が長いわりにギャラは安め。かなりの大物クラスでないかぎり、たとえ主役でも普通の会社員の月給と変わらない程度の額しか得られないことが多いが、着実な実績になる。**目立つ仕事、時間がかかる仕事ほどギャラがいいとはかぎらない**ところが、この業界の不思議な点ともいえる。

仕事の種類とギャラの例

（10代半ばから活動を始めたモデル兼女優の例）

15〜20歳
無名モデル時代

ファッション雑誌グラビア
3万円
拘束期間:1日

大手メーカーのテレビCM
100万円
3カ月間放送　拘束期間:2日

21〜22歳
映画出演をきっかけに女優として少しずつ名前が売れてくる

映画出演
50万円
オーディションで選ばれたヒロイン役
拘束期間:90日

週刊誌グラビア
7万5000円
拘束期間:3日（海外ロケ）

有名カメラマンを起用した場合は、そちらにかなりのギャラを持っていかれる

23歳〜
制作サイドから直接指名で仕事の依頼が来るようになる

テレビドラマ出演
12万5000円
3話オムニバス形式の2時間ドラマのうちの1話
準主役　拘束期間:18日

シネマ出演
35万円
主役　拘束期間:20日

Vシネマは映画よりもかなり制作費が安く、ギャラも低め。ただし拘束期間は短め

写真集
220万円
拘束期間:4日（海外ロケ）

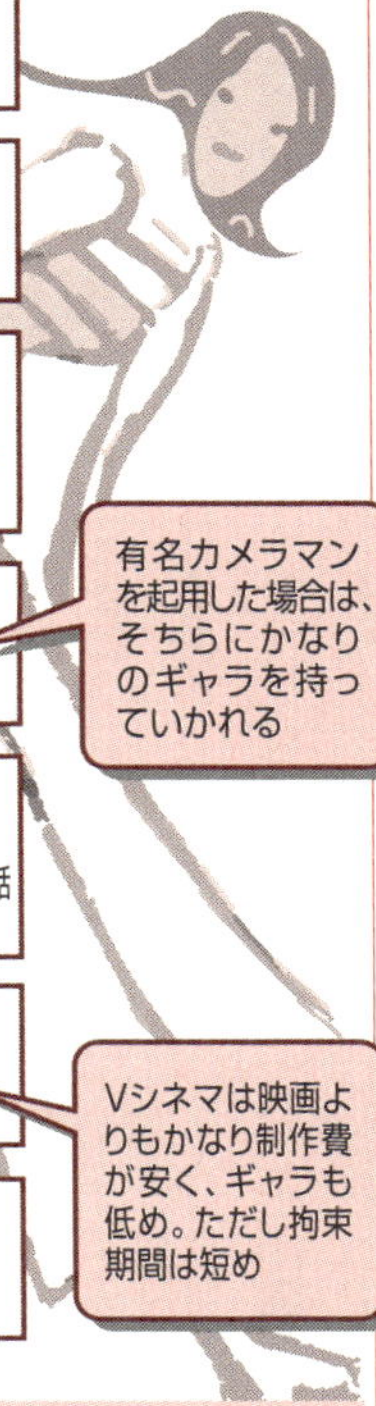

クライアントから支払われるギャラの20%が、所属事務所のマネージメント料として差し引かれる（事務所によっては40%近く差し引くところも）

◆ミュージシャン

スタジオ・ミュージシャン、バックバンド、その稼ぎの実態は?

カッコイイ！　儲かりそう！――今もミュージシャンにあこがれる若者は多い。しかし、ヒットチャートに華々しく登場できるのはほんのひと握りにすぎない。

プロミュージシャンの多くは、ほかのミュージシャンのＣＤやＣＭ・ドラマ音楽などのレコーディングに参加する**「スタジオ・ミュージシャン」**として活躍している。ギャラは時給計算で、収録後にその場で受け取る**「とっぱらい」**が一般的。ＣＤがヒットした場合などには追加のギャラが支払われることもある。

ほかに、**コンサートのバックバンド**などの仕事もある。スタジオの仕事よりは華やかだが、ギャラはそのミュージシャンのランクに大いに左右される。

ミュージシャンにも「営業」は欠かせない。**「インペグ屋」**と呼ばれる音楽業界専門の派遣業者に登録したり、師匠のコネを頼って売り込んだり……。音楽で食べていくためには、演奏技術や音楽性がすぐれているのはもちろんのこと、**円満な人間関係が保てる人間性も重要な要素**となってくる。

ミュージシャンのギャラは？

（中堅ミュージシャンの例）

スタジオレコーディング

1.5万円〜／時間

- CD、CM、テレビドラマなど、仕事の種類はさまざま
- ギャラは横並び数字（例:3万3333円）での「とっぱらい」（その場で現金払い）が一般的

・初見の譜面でもすぐに演奏できる技術力・適応力は必須
・カラオケの伴奏はコンピューターを利用した打ち込みが主流となり、スタジオ収録は減少

CDがヒットした場合などには追加でギャラが支払われることも

コンサートのバックバンド

リハーサル：**1.5万円〜**／回

本番：**3万円〜**／回

- リハーサルのギャラは本番の半分となるのが一般的
- ギャラの額はサポートするミュージシャンの格にも左右される
- 予定が急に変更されたりキャンセルされるリスクも

大物アーティストの全国ツアーに参加すれば数百万円の収入になることも

演奏テクニックだけでなく、協調性やコミュニケーション能力も大事

仕事はどうやって得る？

- 知り合いのコネ
- 音楽業界専門の人材派遣業者（通称「インペグ屋」）に登録

など

◆ホームヘルパー

需要はますます高まるが、この賃金ではキツイ!

ホームヘルパー（訪問介護員）は、心身に障害を持っている人や高齢者の自宅を訪問し、家事の援助や介護をするなど、とくに今後は高齢化社会で重要な役割を担《にな》う職業だ。介護を要する高齢者は増加する一方だが、現状でもホームヘルパーは不足している状態で、今後いっそうニーズは高まるだろう。

ホームヘルパーの雇用形態にはさまざまなパターンがあり、もっとも安定しているのは、地方自治体や社会福祉法人などの職員などに採用される道。しかし実際には、パートヘルパーだったり、常勤ではあっても正規採用ではないヘルパーだったりするケースが多く、**時給は1000～1500円程度**が相場となる。

社会的意義は非常に高く、将来性もあり、「やりがい」は十分に感じられるものの、待遇面では今ひとつということもあってか、定着率はあまり芳《かんば》しくない。「重労働にもかかわらず賃金は安く、雇用も不安定」というのが、多くのホームヘルパーに共通する悩みといえる。

ホームヘルパーの平均賃金

支払形態別所定賃金

月給制	22万4726円
日給制	8183円
時間給制	1203円

雇用形態別所定賃金

正社員	22万6677円

非正社員（時間給）	常勤労働者	1021円	▼月収換算額
	短時間労働者	1022円	8万9920円
	非常勤労働者	1329円	8万6298円
	登録ヘルパー	1353円	6万6934円

稼働時間が少ないため、月収換算では低額となる

資格別の月収換算

1級ホームヘルパー	19万18円
2級ホームヘルパー	13万736円
3級ホームヘルパー	11万6434円
ケアマネージャー	27万6057円

業務別（時間給）

身体介護	1456.8円
家事援助型	1056.3円
身体介護と家事援助型の折衷型	1251.2円

財団法人 介護労働安定センター調査「介護労働実態調査中間結果報告」（2000年）
厚生労働省発表より

◆弁護士

裁判に勝っても負けても、これだけの収入がある！

弁護士の報酬は、日本弁護士連合会の内規で基準が定められている。一般的な裁判では、依頼を受けた時点で**「着手金」**を、裁判終了後に、成果に応じた**「報酬金」**と、出張時の**「日当」**、**交通費や通信費**などの実費を受け取る。民事事件の場合、経済的利益（裁判での請求額）が大きいほど、着手金と報酬金の額も増える。

着手金や報酬金は、「示談」「訴訟」「控訴」などの各段階ごとに発生する。これ以外に、**「法律相談料」**、事務手続きに伴う**「手数料」**、書面による**「鑑定料」**、顧問契約を結んだときの**「顧問料」**などが弁護士の報酬となる。印紙代などの訴訟費用は敗訴した側が負担するが、弁護士報酬については、一部のケースを除き自己負担が原則。裁判には長い時間がかかり、たとえ勝訴しても、高額な弁護士報酬を払わなければならないとあって、庶民にとって裁判の敷居はまだまだ高い。

そこで最近では、弁護士費用も敗訴側に負担させようという動きがあるが、資金力のない弱者に不利な制度となるため、反対意見が少なくない。

民事事件の着手金、報酬金の額

（日本弁護士連合会「報酬等基準規程」）

経済的利益の額	着手金	報酬金
300万円以下	8%	16%
300万円超〜3000万円	5%+9万円	10%+18万円
3000万円超〜3億円	3%+69万円	6%+138万円
3億円超	2%+369万円	4%+738万円

- 着手金、報酬金は、事件の内容により30%の範囲内で増額・減額が可能
- 経済的利益を算定することが不可能な場合（子供の認知請求など）は、その額を一律800万円として計算
- 示談交渉、調停における着手金、報酬金は上記の表の3分の2
- 示談交渉から調停に進んだ場合、示談交渉や調停から裁判に進んだ場合は上記の表の2分の1

事件解決までいくらかかる？

（示談交渉、調停で解決せずに裁判に持ち込まれ、
最終的に請求通り1000万円の経済的利益を得た場合の例）

法律相談

¥相談料

個人が初めて相談する場合
▶30分ごとに**5000〜1万円**
2回目以降、あるいは事業に関する相談
▶30分ごとに**5000〜2万5000円**

示談交渉

¥着手金 **39万円**

調　停

¥着手金 **29万円**

裁　判

¥着手金 **29万円**
報酬金 **59万円**

¥裁判が第1審で終わらずに控訴審、上告審と進んだ場合は、各裁判ごとに着手金がかかる

着手金、報酬金の合計

156万円

弁護士費用は、
裁判に勝っても**全額自己負担**
（一部の事件を除く）
※訴訟費用（証人の日当、印紙代など）は敗訴者が負担

◆開業医

医者余りの時代でも、平均年収3000万円！

わが国の医師免許所得者は約25万人。さらに毎年、約8000人が新たに免許を所得している。引退・廃業する医師の数を差し引いても、毎年数千人ずつ増え続けている計算だ。このまま増加が続けば、医師過密状態の都市部を中心に患者の取り合いが激化しかねず、事実、病院・診療所の半数以上が赤字経営となっている。

開業医というと高収入の代名詞のような職業だが、保険診療が中心のいわゆる「町のお医者さん」は、それほど儲からない。患者1人あたりの単価が数千円で、ぽつぽつと患者がやってくる程度では、1日の売上はたかが知れている。スタッフは高度な有資格者が必要なので、人件費を削るわけにもいかず、全国どこでも均一である保険医療報酬額を勝手に値上げすることもできない。

それでも、開業医の**平均月収は約250万円**と、世間から見れば高水準にある。患者の評判がよく常に予約で一杯だったり、高度で専門的な技術を持っていたりすれば、豪華な家に住み、高級外車を何台も所有するような生活も夢ではない。

開業医の月間収支

（介護保険事業にかかわる収入のない個人経営の一般診療所の、2001年6月時点における平均）

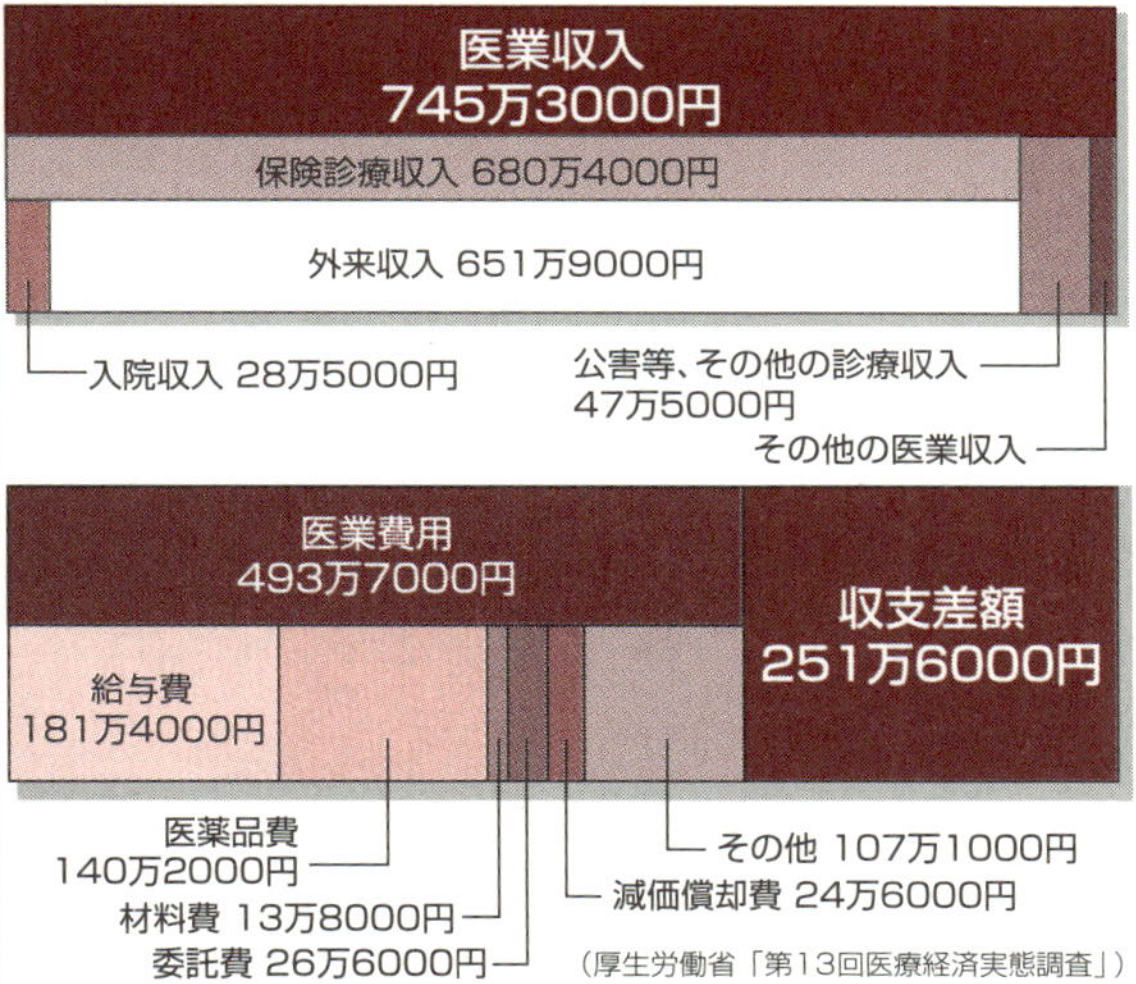

（厚生労働省「第13回医療経済実態調査」）

病院・診療所数（2002年）

一般病院	8116
一般診療所	9万4819
歯科診療所	6万5073

病院の新設・増設は各都道府県が定める「地域医療計画」により規制されており、「過剰」とされた地域では、病院の新設やベッドの増設はほとんど不可能

病院や診療所の
半数以上が
赤字経営

（厚生労働省「平成14年医療施設調査」）

◆助産師

病院勤め・独立開業・出張専門……、収入はどう変わる？

かつて自宅での出産が一般的だった頃、「産婆さん」の手助けは必要不可欠なものだった。最近では設備の整った病院や医院にその役割を譲ったように見えるが、**「助産師」**と名前を変え、今でも妊婦さんたちをサポートする頼もしい存在だ。

助産師というのは、国家資格を取得した、いわばお産のプロ。その仕事は分娩の介助だけでなく、妊娠中から産後まで、母子ともに健康に過ごせるよう保健指導や健診を行ない、問題があれば医療機関と連携して対処する。ほかに、地域に密着した子育ての支援活動などにも取り組んでいる。

ほとんどの助産師は病院などに勤務しているので、収入はサラリーマン同様だ。そのため、いつか自分の助産所をと、独立開業を目指す人も少なくない。また、少数派ながら**出張専門の助産師**もいる。これは、助産所を持たず、家庭に「出張」して自宅出産の手伝いをする、昔なつかしい「産婆さん」の継承者だ。お産に対してこだわりのある人たちのあいだで、自宅出産は見直されつつある。

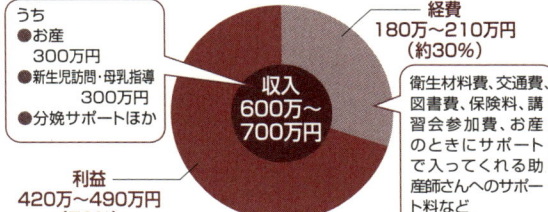

自宅出産でのお産
1カ月検診までいくらかかる？

定期検診料

（妊婦さんの自宅に出向き、1回につき1～2時間）

5000円前後/1回（訪問料・実費）

妊婦さんといろいろな会話を交わしながら信頼関係を築く！

- 24週までは4週間に1度
- ～30週までは2週間に1度
- それ以降は1週間に1度

分娩費

（分娩＋産後訪問4～5日間＋諸経費）

30万円～

1カ月健診

（母児で）7000円前後

その他

母乳指導

（訪問・1回につき1～2時間）

5000円前後/1回

育児相談など

3000円前後／1回

出張開業助産師の年収の一例

うち
- お産　300万円
- 新生児訪問・母乳指導　300万円
- 分娩サポートほか

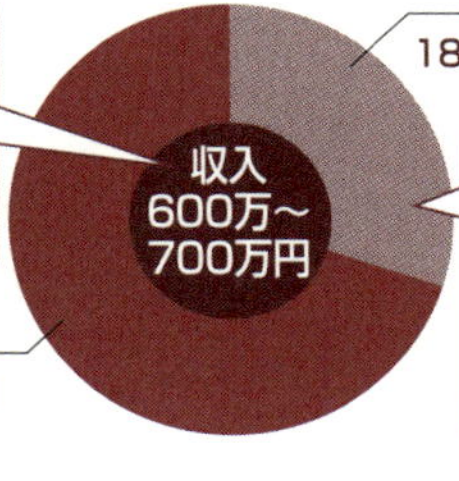

経費
180万～210万円
（約30%）

衛生材料費、交通費、図書費、保険料、講習会参加費、お産のときにサポートで入ってくれる助産師さんへのサポート料など

利益
420万～490万円
（70%）

◆ニットデザイナー

人数が少ないぶん、認められれば高収入も！

服飾デザイナーには、布製品のデザイナーとニット製品のデザイナーとがある。アパレル製品の半数はニット製品ともいわれているが、その割合は約8対2で、ニットデザイナーが圧倒的に少ない。

ニットをデザインする場合、デザイン画を描ければそれでOKというわけにはいかず、糸のセレクトなど素材選びも重要な仕事。実際に編んでみると事前のイメージと違ったということもよくあり、イメージとのギャップがなくなるまでには、最低10年くらいの経験が必要だという。

工場の編機で大量生産する製品もあるので、マシンの知識も欠かせない。そのうえで、デザイナーとしての個性や創造力が要求される。一人前のデザイナーとして育つまでには、時間がかかるのだ。

しかし、いったんその腕が認められれば、仕事の需要は多い。独立してフリーランスになり、数社と継続的に契約する状態になれば、かなりの高収入が期待できる。

フリーのニットデザイナーの収入例

（ある大手企業に週3日勤務。ほかに2つの会社と契約）

年間約150着を手がける

年収700万円

ニットデザイナーは需要が高いので、寝る間を惜しんで仕事をすればもっと稼ぐことも可能

経費としては

- グラフィックソフト代
- 健康保険や国民年金などの各種税金
- 企業と契約して仕事をしているので、交通費や材料費などは企業で出してくれる

これがけっこうかかる！

スキルアップのために欠かせない費用

- 英会話スクール代
- バッグや靴、洋服代

仕事柄、海外出張が多いために英語力は必須！
個人レッスンのため、かなりの支出に……

打ち合わせのほかにも、展示会やパーティなどで人と会う機会も多く、シーズンごとに新しいデザインのものを買いそろえたり、海外出張先で購入したりする。

あるブランドのニット服の原価

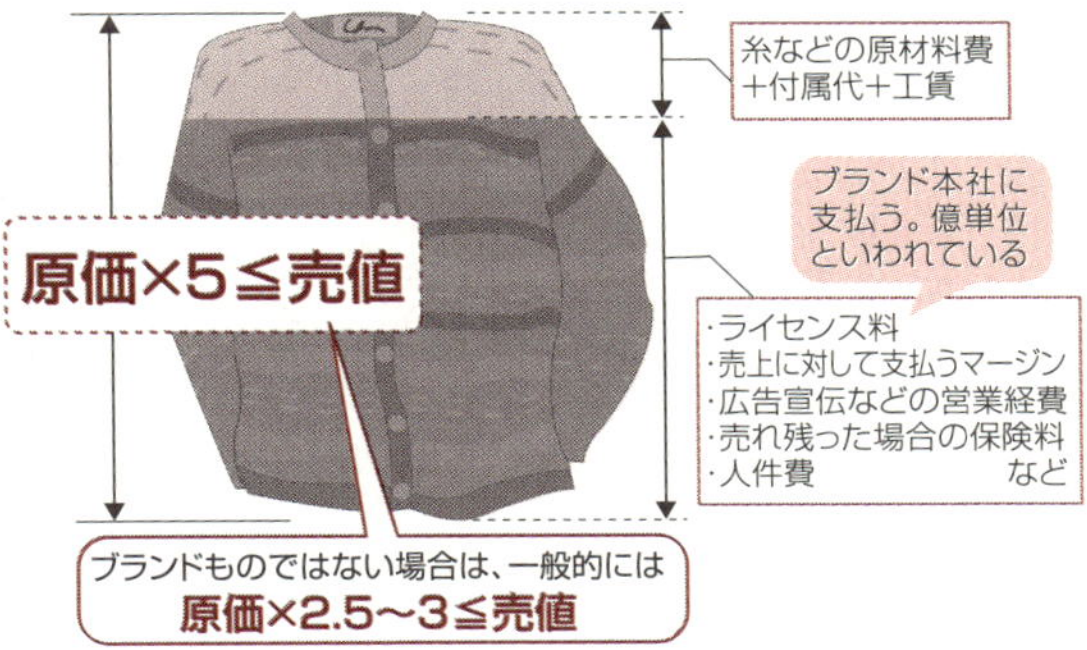

◆ホームページ制作

制作費のほかに管理費も！　ピンキリのこの値段

インターネットの普及とともに、情報発信の有力な手段となったホームページ。今ではホームページ作成支援ソフトが数多く出まわっていて、とくに深い知識や技術を持っていない一般ユーザーでも十分に作成可能だ。ただし、デザイン面で見栄えがし、さまざまな機能を持たせた本格的なホームページになると、やはりそれなりのテクニックを持ったプロの力を借りることになる。

ホームページを作ってインターネットで公開するためには、ホームページの制作費用のほかに、ファイルをサーバーにアップロードし、運営・管理するための**「ホスティング費用」**が必要になる。

制作は、**ウエブデザイナー**と呼ばれる専門家が中心となって行なわれる。制作費用は大部分が人件費で、その幅もピンキリだが、外注する場合は、**1ページあたり5000～2万円**くらいがおおよその相場。デザインや機能、セキュリティを重要視する大企業のページの場合、全体の制作費が1000万円を超えることもある。

ホームページを
作成・公開するためのコストの一例

（通販のホームページを作る場合）

制作費　**計34万5000円**

デザイン企画料　2万円

ページ制作料

トップページ　3万円　(フレーム3分割+動画像)

商品紹介ページ (フレーム2分割)

8000円×10ページ=　8万円

商品写真撮影

1000円× 50点=　5万円

商品拡大写真ページ

1000円× 50ページ=　5万円

買い物かごシステム　10万円

注文用ページ

1万5000円 ×1ページ=　1万5000円

ホスティング費（初めの1年間）　**計8万5000円**

ドメイン維持費	5000円
レンタルサーバー費用 （独自ドメイン取得代行費込み）	5万円
検索エンジン登録費用	2万円
サーバーへのアップロード	1万円

●その他、サーバー側で動作するCGIやブラウザ側で動作するJavaなどのプログラムを作成すると、別途料金がかかる。

◆保険外交員

年収数千万円の人も！ ノルマ達成のためにどこまでやるの？

「マイホームの次に高い買い物」といわれる生命保険。職場を足しげく訪ねてくる生保レディの熱意に根負けして加入したという人も多いだろう。

保険外交員の収入は**「基本給」**と**「歩合給」**の二本柱。基本給といっても、契約成績に大きく左右されるため、要はすべてが実力次第だ。保険料が高くて契約期間が長い、つまり、保険会社により多くの利益をもたらす契約をたくさん取り付ければ、収入は大きくアップ。**年収数千万円の「スーパー生保レディ」**もいるという。

ただし、ＰＲのために配る**プレゼントの類はすべて自腹**で購入。ノルマ達成や成績アップのため、自らが高額の保険に入る**「自爆」**も珍しくないという。

一方、テレビでＣＭをよく見かける外資系保険会社は、通販をメインにしている。人件費を節減できるぶん、保険料を安く設定できるのが強みだ。さらに今後は、規制緩和によって銀行窓口での保険販売も可能になる。昔ながらの**「ＧＮＰ」（義理・人情・プレゼント）式営業**に頼ってばかりでは生き残れない時代になりつつある。

保険外交員の収入は？

（中堅保険会社の例）

✹10万円前後からスタートし、成績に応じて1年ごとにランクが変動

例　年間契約数36件→翌年の基本給16万円
　　　〃　　48件→　〃　　　21万円

✹契約ゼロだった場合は翌月の基本給が大きくダウン
（ただし最初の半年間は成績にかかわらず一定額を保障）

¥ 給料は 基本給 ＋ 歩合給

✹契約1件につき約**5万円**～

✹保険料が高く、契約期間が長い（契約者の年齢が若い）ほど歩合給も高くなる

✹同内容の契約でも外交員のランクにより支給額が大きく変わり、ベテランと新人では数倍の差に

✹契約しても短期間のうちに解約や契約変更（保険料の減額）が行なわれた場合はペナルティー（減給）が課されることも

キャリアを積んで
ランクアップを重ねれば
年収数千万円も可能！

¥ 交通費は会社持ちだが、営業先で配るプレゼント（お菓子、文房具、タオルなど）は自腹

ノルマ達成のための あの手この手

・家族、親戚、知人を加入させる
・自己加入（通称「自爆」）
・契約転換（すでに契約している保険の見直し）
など

G：義理
N：人情
P：プレゼント

今後は旧来の「GNP」式営業では厳しい時代に？

☹ 営業先のセキュリティ強化（外部者の立ち入りを禁止・制限）

☹ 外資系など新興生保の台頭（通販をメインにするなどして人件費を削減し、保険料を割安に）

☹ 銀行による窓口販売の開始
（2005年より段階的に解禁し、2007年に全面解禁予定）

など

本書は、小社より刊行した『図解「儲け」のカラクリ2』を、大幅に加筆のうえ改題したものです。

-05. 1. 16th (Sun)
@Books Uni
In Kinshi-Cho

図解《ずかい》 新《しん》「儲《もう》け」のカラクリ

編者　インタービジョン21（いんたーびじょん　とぅえんてぃーわん）
発行者　押鐘冨士雄
発行所　株式会社三笠書房
〒112-0004 東京都文京区後楽1-4-14
電話　03-3814-1161（営業部）03-3814-1181（編集部）
振替　00130-8-22096　http://www.mikasashobo.co.jp
印刷　誠宏印刷
製本　宮田製本

ISBN4-8379-6161-4 C0136